Gabriele Münter

Das druckgraphische Werk

Gabriele Münter

Das druckgraphische Werk

Herausgegeben von Helmut Friedel
Gabriele Münter- und Johannes Eichner-Stiftung

Mit Beiträgen von Annegret Hoberg, Isabelle Jansen,
Margarethe Jochimsen, Brigitte Salmen und Christina Schüler

Prestel   München · London · New York

Herausgegeben von Helmut Friedel,
Vorsitzender des Verwaltungsrates
der Gabriele Münter- und
Johannes Eichner-Stiftung, München

Bearbeitung des Werkverzeichnisses:
Annegret Hoberg unter Mitarbeit von Isabelle Jansen

Dieses Werkverzeichnis ist zugleich
Bestandskatalog der Druckgraphik
Gabriele Münters im Lenbachhaus München.
Es erschien anläßlich der Ausstellungen
in der Städtischen Galerie im Lenbachhaus,
München, 16. Dezember 2000
bis 16. April 2001
August Macke Haus Bonn, 29. April
bis 8. Juli 2001
Schloßmuseum Murnau, 20. Juli
bis 4. November 2001

Auf dem Umschlag: *Aurelie*, 1906 (Kat. 5)
Frontispiz: *Gabriele Münter in Rapallo*, 1906

Die Deutsche Bibliothek – CIP-Einheitsaufnahme
Ein Titeldatensatz für diese Publikation ist bei
Der Deutschen Bibliothek erhältlich

Prestel Verlag
Mandlstraße 26 · D-80802 München
Telefon 0 89/38 17 09-0
Telefax 0 89/38 17 09-35
E-Mail: info@prestel.de
www.prestel.de

Lektorat: Eckhard Hollmann
Gestaltung und Herstellung: Matthias Hauer

Schrift: Weiß Antiqua in einer unveröffentlichten
Digitalisierung des Babylon-Schrift Kontors, Berlin
Digitalfotografie der Originale und Bildverarbeitung:
phg, Martinsried
Leinen: ›Duo‹ der Bamberger Kaliko
Druck: Holzer, Weiler im Allgäu
Bindung: Kraus, Kempten (Broschur)
Kösel, Kempten (Leinenband)

ISBN 3-7913-2514-0

Inhalt

Vorwort

Gabriele Münter (1877–1962), die große Malerin des Blauen Reiter, hat auch ein bedeutendes druckgraphisches Werk geschaffen, das bislang der Öffentlichkeit keineswegs so bekannt und vertraut ist wie ihre kühnen und farbenprächtigen Gemälde aus den Münchner und Murnauer Jahren. Ihr druckgraphisches Werk ist jedoch ein entscheidender Beitrag zur Graphik der Moderne am Beginn des 20. Jahrhunderts, und selbst unter den Weggefährten des Blauen Reiter sind ihre graphischen Blätter an Umfang und Qualität besonders der Jahre bis 1908 einzig mit dem druckgraphischen Frühwerk ihres Gefährten Wassily Kandinsky zu vergleichen. Mit diesem Katalogbuch wird erstmals ein vollständiger und überzeugender Überblick über diesen Teil von Münters Schaffen möglich.

Auch unsere Ausstellung präsentiert Münters Druckgraphik zum ersten Mal vollständig. Dabei kann sie aus dem umfangreichen Bestand des Lenbachhauses schöpfen, in dem alle Druckgraphiken Münters, oft in verschiedenen Farbzuständen, vorhanden sind. Das Katalogbuch bildet alle Blätter farbig ab und stellt somit neben einem Werkkatalog aller 88 Druckgraphiken Münters zugleich einen Bestandskatalog der Sammlung der Städtischen Galerie im Lenbachhaus dar. Unsere Bearbeitung konnte sich dabei auf den gründlichen Werkkatalog stützen, den Sabine Helms 1967 für die Druckgraphik Gabriele Münters im Lenbachhaus unter der Leitung des damaligen Galeriedirektors Hans Konrad Roethel vorgelegt hat. Dabei handelt es sich um ein schmales Arbeitsheft, in dem alle Holz- und Linolschnitte, Radierungen und Lithographien in chronologischer Ordnung und mit präzisen Angaben aufgeführt sind. Die Erkenntnisse, die über diese Vorarbeiten hinaus gewonnen werden konnten, sind in unseren Katalog an verschiedensten Stellen eingeflossen. Neben sämtlichen Druckgraphiken werden auch ausgewählte Entwürfe, oft farbintensive Gouachen und Aquarelle, abgebildet: zusammen mit eigenen Gemälden und Photographien Münters geben sie einen höchst anschaulichen und überraschenden Einblick in die komplexen Arbeitszusammenhänge im Schaffen der Künstlerin. Unter anderem zeigt diese Präsentation, wie genau und überlegt Münter ihre Druckgraphiken durch Entwürfe und Umarbeitungen vorbereitet und zum Teil durch verschiedene Einfärbung der Farbstöcke bis zur Rafinesse variiert hat. Damit wird der bisweilen noch immer wiederholte Mythos von der naiv und ohne zugrundeliegende Konzeption schaffenden Künstlerin ohne jedes weitere Argument widerlegt.

Überblickt der heutige Betrachter ihr druckgraphisches Oeuvre, so faszinieren Aspekte, die etwa 1967 nicht im Blickpunkt des allgemeinen Interesses gestanden haben. So verblüfft ihr Experimemt mit den unterschiedlichen Farbzuständen den an einer Praxis der Pop Art, besonders bei Andy Warhol, geschulten Betrachter.

Für Münter hatte die Druckgraphik eine ganz eigenständige Funktion, in der ihre große analytische Fähigkeit zur Gliederung eines Bildeindrucks in Linien und Flächen periodenweise am reinsten zum Tragen kam, und mit der sie ihren Teil zu den revolutionären Neuerungen in der Kunst der Avantgarde zu Beginn des 20. Jahrhunderts beigetragen hat.

Für das August Macke Haus in Bonn ist diese Ausstellung von ganz besonderer Bedeutung, da Gabriele Münter, die sich bis 1911 häufig bei ihren Geschwistern in Bonn aufhielt, einen großen Teil ihrer frühen Holz- und Linolschnitte in einer ersten Einzelausstellung bereits im Jahre 1908 in der Galerie Lenoble in Köln und dem Kunstsalon Friedrich Cohen in Bonn präsentierte. Wir freuen uns schließlich, die Ausstellung an dritter Station auch im Schloßmuseum Murnau zeigen zu können, dem Ort, in dem Münter zu ihrem charakteristischen expressiven Stil fand und wo sie durch die volkstümliche Hinterglasmalerei weitere Bestätigung und stilistische Anregung auch für die Druckgraphik fand. In den Murnauer Jahren entstanden seit 1909 mehr als ein Drittel ihrer graphischen Blätter, die diesem Bereich ihres Schaffens neue und eigene Akzente hinzufügten.

Wir möchten an dieser Stelle sehr herzlich Ilse Holzinger, der Geschäftsführerin der Gabriele Münter- und Johannes Eichner-Stiftung danken, die in gewohnter Einsatzfreude und Großzügigkeit zahlreiche Hilfestellungen für dieses Projekt gegeben hat, alle Materialien des Archivs zugänglich machte und den Bearbeiterinnen auch beim Aufspüren entlegener Konvolute behilflich war. Ferner geht unser Dank an Sabine Helms, die souverän und großzügig ihr Wissen um die damalige Bearbeitung der Bestände teilte und das Projekt mit Interesse verfolgt hat. Unser Dank gilt besonders Annegret Hoberg, Kuratorin des Blauen Reiter am Lenbachhaus, und ihrer Mitarbeiterin Isabelle Jansen für die Leitung des Projekts und die Bearbeitung des Werkkatalogs. Gemeinsam haben sie alle Druckgraphiken Münters durchgesehen und jedes einzelne Blatt beschrieben. Zudem haben sie umfangreiche Konvolute an Originalgraphik und Skizzenbüchern in den Sammlungen des Lenbachhauses und der Münter-Eichner-Stiftung gesichtet, um ebenso alle Entwürfe dokumentieren und den Werkkatalog damit vervollständigen zu können. Schließlich möchten wir dem Prestel Verlag danken, mit dem zusammen wir durch die schöne Gestaltung und präzise Betreuung ein Standardwerk zur Druckgraphik Gabriele Münters vorlegen können, das den Freunden von Gabriele Münter neue Einblicke in ihr Schaffen ermöglichen wird.

Helmut Friedel
Städtische Galerie im Lenbachhaus, München
Gabriele Münter- und Johannes Eichner-Stiftung, München

Margarethe Jochimsen
August Macke Haus Bonn

Brigitte Salmen
Schloßmuseum Murnau

Annegret Hoberg

Zur Druckgraphik Gabriele Münters

Gabriele Münter, die große Malerin des Blauen Reiter, war auch eine sehr begabte Zeichnerin, die die Eindrücke der äußeren Welt in ein klares Liniengerüst umzusetzen wußte. Ihre Fähigkeit, das Gesehene in einfachen, umrißhaften Bildstrukturen zu erfassen, kann geradezu als ein Grundzug ihrer Kunst bezeichnet werden. Diesen Umstand hat Münter in ihren Selbstbeschreibungen wiederholt betont, unter anderem in der vielzitierten Bemerkung ihrer »Bekenntnisse und Erinnerungen« von 1952: »Wer aufmerksam meine Gemälde betrachtet, findet in ihnen den Zeichner. Trotz aller Farbigkeit ist ein festes zeichnerisches Gerüst da. Meist zeichne ich meine Bilder mit schwarzem Pinsel auf die Pappe oder Leinwand, ehe ich an die Farbe gehe. Zugrunde liegt in der Regel eine kleine Bleistiftskizze, die ich unter dem Eindruck des Motives gemacht habe.«[1] Nicht nur in diesem Text erklärte sie ausführlicher, daß ihr die Zeichnung gleichsam »angeboren« sei, während ihr der Mut zur Farbe und besonders auch zum schnellen Umsetzen des Malvorgangs – ein Charakteristikum der im Entstehen begriffenen Malerei der Avantgarde insgesamt – durch die Zusammenarbeit mit Kandinsky zugewachsen sei: »Ich bin von Kindheit auf so ans Zeichnen gewöhnt, daß ich später, als ich zum Malen kam – es war erst in meinen zwanziger Jahren – den Eindruck hatte, es sei mir angeboren, während ich das Malen erst lernen mußte. Für's Malen hatte ich in Kandinsky, der 1902 mein Lehrer wurde, große Masstäbe vor mir, und schließlich bin ich dazu herangewachsen, die Farbe auch so selbstverständlich und unangestrengt zu beherrschen wie die Linie.«[2]

Diese spezielle Begabung der mühelosen analytischen Gliederung eines Bildeindrucks durch Linien und Flächen, die mit den revolutionären Neuerungen der modernen Kunst vor und nach der Wende des 20. Jahrhunderts in Einklang stand, schien Münter daher für ein druckgraphisches Arbeiten geradezu zu prädestinieren. Tatsächlich sollte sie einen zwar quantitativ kleineren, aber wichtigen und äußerst qualitätvollen Teil ihres Werkes im Medium der Druckgraphik schaffen, worunter in erster Linie ihre Holz- und Linolschnitte zu nennen sind, aber auch die späteren Radierungen und Lithographien.

Gabriele Münters druckgraphisches Werk läßt sich in fünf größere Gruppen gliedern: Die erste Gruppe umfaßt 35 meist farbige Holz- und Linolschnitte aus ihrem Frühwerk bis 1908, wobei der Schwerpunkt auf der Druckgraphik der Pariser Jahre 1906/07 liegt, flankiert von den Motiven aus Kallmünz 1903 und der sogenannten *Spielzeugserie* vom Frühjahr 1908. Die zweite Gruppe beinhaltet 12 Holz- und Linolschnitte aus den Jahren des Blauen Reiter in München und Murnau, unter anderem die 1912/13 für Herwarth Waldens Zeitschrift *Der Sturm* entstandenen Drucke. Mit der Übersiedelung in das schwedische Exil nach Stockholm während des Ersten Weltkrieges erfuhr Münters Werk nicht nur einen Wechsel in Stil und Thematik, sondern für das Medium der Druckgraphik folgte auch eine Änderung der Technik: Die seit 1916 entstehenden acht Radierungen – davon sieben in Folge durchnumeriert – bilden die nächste Gruppe. Am Ende ihres Aufenthaltes in Schweden, nach der Übersiedelung nach Dänemark, entstanden die ersten Lithographien für das Plakat und den Katalogumschlag von Münters Einzelausstellung in Kopenhagen 1918. Die zwanziger Jahre, nach Münters vorübergehender Rückkehr nach Murnau, sind geprägt vom Steindruck, der ihrem zeichnerischen Interesse an der umrißhaften Erfassung des menschlichen Bildnisses entgegenkam: Die zehn Lithographien bzw. Steindrucke aus den Jahren 1921 bis 1924 sind überwiegend der Darstellung des Menschen gewidmet, daneben entstanden in unregelmäßiger Folge noch einmal sechs Radierungen. Den Abschluß des druckgraphischen Werkes bilden 13 kleinformatige Schwarz-Weiß-Holzschnitte, häufig auf fast abstrakte Strukturen verdichtete Landschaftsmotive, die Münter von 1931 bis 1935 in Murnau schuf. Die Entwicklung der hier skizzierten Gruppen von Münters Druckgraphik soll in einem kurzen chronologischen Abriß vorgestellt werden, wobei den besser dokumentierten Werkperioden naturgemäß mehr Gewicht eingeräumt werden kann.

Als Gabriele Münter im Frühjahr 1901 aus dem Rheinland nach München kam, besuchte sie zunächst die Klasse von Maximilian Dasio an der Schule des Münchner »Künstlerinnen-Vereins«, wo ausschließlich Kopfzeichnung nach lebendem Modell gelehrt wurde. Zum Wintersemester wechselte sie in den fortgeschritteneren Lehrgang von Angelo Jank, bei dem sie noch während des Semesters in dessen Aktklasse aufrückte. Von diesen Studien in akademischer Manier bald gelangweilt, wurde sie, so Münters erster Biograph und Lebensgefährte Johannes Eichner, durch »ihre bisherige Einstellung auf das Zeichnerische (...) mehr auf Bildhauerwerke und den damals wieder auf-

1 Gabriele Münter in der Bildhauer-Klasse von Wilhelm Hüsgen (links), Phalanx-Schule, Mai 1902. Photo: Gabriele Münter- und Johannes Eichner-Stiftung, München

2 Gabriele Münter, *Kopf einer alten Frau*, 1902. Gips, Gabriele Münter- und Johannes Eichner-Stiftung, München

3 Gabriele Münter, *Häuser in Kallmünz*, 1903. Blei, Skizzenbuch, Städtische Galerie im Lenbachhaus, München

blühenden Holzschnitt« aufmerksam. »Zunächst reizte es sie, Holzschnitte zu machen. Aber es war ihr genug, als sie in dem Schulatelier von Wolff und Neumann eine einzige Platte geschnitten hatte (ein überlebensgroßes Gesicht).«[3] Münters Unterricht durch den Plakatkünstler und Druckgraphiker Heinrich Wolff und den »hochbegabten und zielbewußten Ernst Neumann«, dessen Rolle für die Entwicklung des »modernen deutschen Holzschnittes« als Leiter der Schule der ›Graphischen Vereinigung Münchener Künstler‹ von der zeitgenössischen Kritik besonders hervorgehoben wurde, blieb damals ganz offensichtlich nur ein kurzes Zwischenspiel.[4]

Die entscheidende Wende in Münters künstlerischem und persönlichem Werdegang erfolgte bekanntlich durch die Begegnung mit Wassily Kandinsky in dessen Phalanx-Schule 1902.[5] Eine Mitstudentin hatte Gabriele Münter auf die Ausstellungen der Künstlervereinigung Phalanx hingewiesen, die sich im Mai 1901 auf Initiative von Wassily Kandinsky, Wilhelm Hüsgen, Waldemar Hecker und anderen Persönlichkeiten der Schwabinger Kunstszene gebildet hatte. Die meisten von ihnen standen zugleich auch als Bühnenbildner und Plakatkünstler der bekannten Kabarettbühne der ›Elf Scharfrichter‹ nahe. In ihren rückblickenden Aufzeichnungen erinnert sich Münter an ihren ersten Besuch einer Phalanx-Ausstellung im Winter 1901/02, unter anderem an ein Gemälde von Kandinsky und an »2 Bildhauer Hecker und Hüsgen. Es zuckte mir in den Fingern. Bildhauern wollte ich. Bald ging ich zur Phalanx-Schule u. meldete mich in der Bildhauerklasse Hüsgen an für Nachmittag.«[6] (Abb. 1) Münter modellierte hier unter anderem die Gipsmaske vom Kopf einer alten Frau, die – sieht man von der sicherlich durch die *Phantasiemasken* Wilhelm Hüsgens inspirierten Übertreibung ins Groteske ab –, in der großflächigen Auffassung des Gesichts ihrem vermutlich ersten Holzschnitt, dem *Weiblichen Kopf* (Kat. 1) nahezustehen scheint (Abb. 2).[7] Nach ihrem Wechsel in die Unterrichtsklasse Kandinskys malte Münter schließlich bald ihr erstes Ölgemälde, ein Stilleben, und konzentrierte sich in der Folgezeit mit großem Eifer auf das Erlernen der Malerei im Stil des Nachimpressionismus in Spachteltechnik, die auch für Kandinsky bis zum Ende des Pariser Aufenthaltes verbindlich sein sollte.

Die erneute Anregung für eine Beschäftigung mit dem Holzschnitt hat dann offensichtlich ihr Gefährte Kandinsky im Frühjahr 1903 gegeben, als er ihr unter dem Eindruck der XVII. Ausstellung der Wiener Secession aus der österreichischen Hauptstadt schrieb: »Du, was meinst du vom Holzschnitt? Interessiert es Dich? Willst Du nicht versuchen? Es ist wirklich was feines.«[8] Die neue Begeisterung für den Holzschnitt setzte Kandinsky bekanntlich während des nächsten Sommeraufenthaltes der Phalanx-Klasse in Kallmünz 1903 in intensives Erproben um, indem er »gleich 70 Platten hintereinander schnitt, man sagte, Tag und Nacht, bis er Holzschneiden konnte«, wobei ihm seine Phalanx-Schüler teilweise halfen.[9] Die ersten Drucke, die Münter nach dieser erneuten intensiven Konfrontation mit der Technik des Holzschneidens schuf und die den eigentlichen Beginn ihres druckgraphischen Werkes markieren, sind drei Farbholzschnitte mit Motiven dieses Sommeraufenthaltes in Kallmünz, die jedoch erst im Winter 1903/04 in ihrem Schwabinger Atelier entstanden (Kat. 2–4). Für *Häuser in Kallmünz* griff sie auf eine genaue Skizzenbuchzeichnung (Abb. 3) beziehungsweise auf ein eigenes Ölbild und ein von ihr aufgenommenes Photo zurück (vgl. Kat. 2). Zu *Motiv bei Kallmünz* existiert eine größerformatige, seitenverkehrte Entwurfszeichnung mit Farbangaben, die auch für ein geplantes und nicht ausgeführtes Gemälde bestimmt gewesen sein könnte (Kat. 3).

Diese hier in Ansätzen sichtbaren Verfahren sollten für Münters Arbeitsweise bei der Vorbereitung einer Druckgraphik verbindlich werden und wurden bald weiter perfektioniert. Abgesehen von der ebenso für ihre Gemälde benutzten Technik der vorbereitenden, umrißhaften Bleistiftskizze mit Farbangaben ist in unserem Werkkatalog gut erkennbar, daß beinahe jedem ihrer Holz- und Linolschnitte eine Reihe von Entwürfen zugrundeliegen, in der Pariser Zeit sind dies neben Zeichnungen auch farbenprächtige Gouachen und Aquarelle. Besonders seit 1912 ging Münter zudem von bereits vorliegenden Olgemälden aus, die sie in einem sukzessiven Prozeß der Umzeichnung in Bleistift, Tuschfeder und auch Deckweiß zu einem Bildgerüst für die Druckgraphik umarbeitete. Für die komplizierteren ihrer Pariser Graphiken schuf sie auch getrennte Zeichnungen für die unterschiedlichen Druckplatten von Vorder- und Hintergrund oder der Konturen- und Farbstöcke.

4   Wassily Kandinsky, *Marabout*, 1905. Gouache auf schwarzem Papier, Privatbesitz

In Paris waren Münter und Kandinsky nach längeren vorausgehenden Reisen, unter anderem nach Tunis und Rapallo, im Juni 1906 angekommen und bezogen hier für ein Jahr, bis zum Juni 1907, eine gemeinsame Wohnung in Sèvres. Während dieses Jahres im Umkreis der französischen Hauptstadt schuf Münter eine Reihe von Farbholz- oder Linolschnitten von einer erstaunlichen Meisterschaft, die dem Pariser Frühwerk unter ihrer Druckgraphik nicht nur zahlenmäßig ein besonderes Gewicht verleiht. Die ersten der Pariser Drucke entstanden offenbar ein halbes Jahr nach ihrer Ankunft im Winter 1906/07. Neben dem bekannten Porträt Kandinskys (Kat. 6) waren es die Porträts ihrer Vermieter Madame und Monsieur Vernot und deren Hausmädchen Aurelie, bei denen Münter in den Wintermonaten in der Rue Madame 58 vorübergehend wohnte (Kat. 5, 7–9).[10] Alle Bildnisse bereitete sie durch sorgfältige, zum Teil maßstabgerechte Kohle- und Bleistiftzeichnungen vor, in denen der sehr gekonnte Umgang mit Licht- und Schattenflächen vorbereitet wird, der zusammen mit der klaren und treffsicher charakterisierten Linienführung zu den auffallendsten Merkmalen dieser in Linol geschnittenen Porträts gehört. Schon hier experimentierte die Künstlerin mit verschiedenen Farbzuständen, darunter dem »zarten Grau«, das auch für den neuen Münchner Holzschnitt charakteristisch war,[11] ebenso wie die Kombination der groß im Vordergrund dargestellten Figur mit einer verschieden eingefärbten begleitenden Szene im Hintergrund. Die Einflüsse des modernen französischen Holzschnitts, insbesondere von Felix Valotton, wie auch der Münchner Holzschneider aus dem Umkreis des Jugendstils auf Münters frühe Druckgraphik werden in anderen Beiträgen dieses Kataloges ausführlich erläutert. Während Münter ihre Kenntnis der französischen Graphik in Paris weiter vertiefen konnte, hatte sie wichtige Beispiele aus beiden Bereichen bereits in verschiedenen Ausstellungen der Phalanx in München kennenlernen können. Besondere Bedeutung hatte für sie die VIII. Phalanx-Ausstellung von November bis Dezember 1903 – in deren Zeit auch ihre erste Beschäftigung mit den Farbholzschnitten nach Kallmünzer Motiven gefallen war – und die kombinierte X. und XI. Phalanx-Schau Anfang 1904, bevor sie bei ihrer Familie in Bonn auf den Antritt der ausgedehnten Reisejahre mit Kandinsky wartete, die sie erst 1908 nach München zurückführen sollten.[12]

Hier sei noch einmal kurz betont, daß sich sowohl Münter als auch Kandinsky mit ihren frühen, überwiegend in Paris entstandenen Holz- und Linolschnitten in die neue Bewegung einer Aufwertung des »Original-Holzschnitts« eingliederten, die um 1880 zuerst in Paris und den Beneluxländern entstanden war. Sie befreite den Holzschnitt aus seiner Rolle als Medium der Reproduktion, Illustration und Satire und wies ihm eine Rolle als autonomes Kunstwerk zu, wie er sie seit seinen Anfängen im Mittelalter nicht mehr innegehabt hatte. Einen wichtigen Impuls für die Neubewertung der Holzschnittkunst im Europa des ausgehenden 19. Jahrhunderts, der sich die Avantgarden bis hin zu den deutschen Expressionisten der Künstlergruppe Brücke anschlossen, hatte bekanntlich die Entdeckung des japanischen Farbholzschnitts gegeben. Die neue künstlerische Druckgraphik und ihr Status als autonomes Genre war in Paris um die Jahrhundertwende überall greifbar, allen voran in der prominenten Zeitschrift *L'Estampe Originale*, die zwischen 1893 und 1895 auch neun bekannte Alben mit Werken von Fantin-Latour, Bernard, Toulouse-Lautrec, Vuillard und Bonnard herausgab, und nicht zuletzt in den durch den Kunsthändler Ambroise Vollard publizierten Nabis-Drucken, die ebenfalls Bände mit Farblithographien und thematischen Serien umfaßten. Auch Münters Straßen- und Parkansichten aus Paris und Umgebung, wie *Parc Saint-Cloud, Herbstabend – Sèvres* oder *Brücke in Chartres* (Kat. 12, 13, 19) zeigen die Anregungen des neuen, in erster Linie französischen Holzschnitts, der die Wiederbelebung dieser alten Technik am Beginn der Moderne eingeleitet hatte und der mit seiner flächenhaften Darstellung und dem Zwang zur Formvereinfachung wesentlich dazu beitrug, die traditionellen Bildgesetze auch in der Malerei zu sprengen.

In diesen Drucken setzte Münter ihre Farben bereits für die Erzielung unterschiedlicher Effekte in bis zu drei, oft in mehreren Zonen verschieden eingefärbten Platten mit großer Könnerschaft ein. Dabei benutzte sie spezielle Aquarellfarben, sogenannte »Japanaqua«, mit denen auch Kandinsky sämtliche seiner bis 1908 entstandenen Farbholzschnitte druckte.[13] Vollends ausgereift ist ihr Umgang mit dem Farbendruck in den Blättern wie *Marabout* (Kat. 14), *Wäsche am Strand* und *Rosengärtchen* (Kat. 29, 30). Für die beiden erstgenannten Werke griff sie dabei auf Motive ihrer schon länger zurückliegenden Reisen und damals entstandene farbige Arbeiten auf Papier zurück, im Falle von *Marabout* in fast allen Einzelheiten auf eine sorgfältig durchgeführte Gouache, die zusammen mit einer zugehörigen, auf »3.I.« (1905) datierten Skizzenbuchzeichnung in Tunis entstanden ist (Kat. 14.5). Vom selben Motiv der vor einem arabischen Kuppelgrab hockenden Orangenverkäufer hatte Kandinsky seinerzeit ebenfalls eine sehr ähnliche, eindrucksvolle Gouache auf dunklem Papier angefertigt (Abb. 4). *Wäsche am Strand* wiederum geht auf Darstellungen in Farbkreide und Gouache sowie auf eine genaue Skizzenbuchzeichnung zurück, die am »27. XII. 05«, kurz nach ihrer Ankunft an Weihnachten 1905 in Rapallo datiert ist (Abb. 5). Es ist anzunehmen, daß die hier abgebildete Skizzenbuchzeichnung mit ihrem fast abstrakten Gerüst aller wesentlichen Bildelemente und den darin eingetragenen Farbangaben zunächst für ein offenbar nicht ausgeführtes Gemälde oder auch die damals entstandene, farbintensive Gouache gedacht war (Kat. 29.5). Die Gründe, die Münter bewogen haben, weiter zurückliegende Motive nach rund zwei Jahren für die Umsetzung in einen Farblinolschnitt auszuwählen, lassen

5   Gabriele Münter, *Wäsche am Strand*, 1905. Blei, Skizzenbuch, Gabriele Münter- und Johannes Eichner-Stiftung, München

6   Gabriele Münter, *Wäsche am Strand*, 1907/08. Linolschnitt, Schwarzdruck (Kat. 29.1)

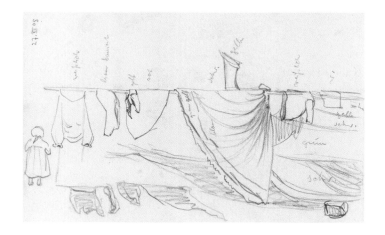

sich leider nicht mehr rekonstruieren. Bemerkenswert an der Graphik von *Wäsche am Strand* ist, daß Münter den im Schwarzdruck deutlich sichtbaren Konturenstock (Abb. 6) für den Farbdruck stark zurücknimmt durch die Einfärbung mit Weiß und Ultramarinblau. Zur Perfektion brachte Münter den Druck von verschiedenen Farbplatten ohne sichtbaren Konturenstock im Linolschnitt *Rosengärtchen*, der vermutlich ebenfalls auf einen weiter zurückliegenden Bildeindruck zurückgeht, eventuell auf einen während des Sommeraufenthaltes in Sachsen 1905 im Photo festgehaltenen Hausgarten (Kat. 30).

Diese letztgenannten, noch zu Münters druckgraphischem Frühwerk bis 1908 gehörenden Farbendrucke sind möglicherweise erst nach ihrer Rückkehr aus Paris Ende Juni 1907 in Bonn, oder noch später während des Berliner Aufenthaltes von September 1907 bis Frühjahr 1908 entstanden. Aus Münters Briefwechsel mit Kandinsky geht hervor, daß etwa die eindeutig »Pariser« Motive von *Mlle A. Robert* und *Mme Robert* (Kat. 10, 11) offenbar erst kurz vor beziehungsweise nach Ende des Pariser Aufenthaltes bearbeitet worden sind, als Münter bei ihrer Schwester Emmy in Bonn zu Gast war, während Kandinsky zur Kur in Bad Reichenhall weilte. Münter schickte Kandinsky von Bonn aus diese Drucke in mehreren Farbzuständen zur Ansicht, um seine Meinung über ihre Einlieferung auf den Pariser Salon d'Automne von 1907 einzuholen.

Die Ausstellungen einer Reihe von Münters frühen »Farben-Gravüren« auf den Schauen des Salon d'Automne jeweils im Herbst 1907 und 1908 sowie auf dem Salon des Indépendants im Frühjahr 1908 geben einigen Aufschluß über die Chronologie der Graphiken oder zumindest einen »terminus ante quem« ihrer Entstehung. Im Herbst 1907 – zu einem Zeitpunkt, als sie Paris schon wieder verlassen hatte – lieferte sie auf den Salon d'Automne erstmals, und zwar ausschließlich, Druckgraphik ein: fünf lediglich »Portrait (gravure sur bois tirée à la main)« genannte Blätter und ein mit »Enfant« (Kind) bezeichnetes Werk, die sich anhand der Einträge in ihrem »Hauskatalog« eindeutig identifizieren lassen als *Aurelie, Kandinsky, M. Vernot, Mlle A. Robert, Mme Robert* und *Kind mit Flasche* (Kat. 5, 6, 8, 10, 11, 26).[14] Auf der nächsten der insgesamt drei Ausstellungen ihrer Druckgraphiken in Paris, dem Salon des Indépendants vom Frühjahr 1908, waren folgende »Japons« zu sehen: *Auguste, Tünnes, Onkel Sam, Im Gespräch, Puppenwagen* (Kat. 32–36), das heißt bereits die gesamte, fünf Nummern umfassende *Spielzeugserie*, sowie *Enfant endormie* (*Schlafendes Kind*; Kat. 31). Alle diese Farbendrucke sind erst in Berlin entstanden, als Münter dort während ihres halbjährigen Aufenthaltes mit Kandinsky häufig bei der Familie ihrer mittlerweile in die Reichshauptstadt umgezogenen Schwester Emmy und ihrer Nichte Friedel zu Gast war.[15] Schließlich zeigte Münter auf dem Salon d'Automne vom Oktober 1908 – als sie bereits den entscheidenden Malaufenthalt in Murnau im Spätsommer 1908 hinter sich hatte – wie zum Abschluß noch einmal eine Serie mit sieben »Pariser« Drucken, darunter die Ansichten von *Park, Herbstabend in Sèvres* (Kat. 12, 13) und *Brücke in Chartres* (Kat. 19).[16]

Die Pariser Ausstellungen ihrer Druckgraphiken hatten Münter auch erste Besprechungen von französischen Rezensenten eingebracht, in erster Linie von Henri Breuil, einem Kritiker der Zeitschrift *Les Tendances Nouvelles*, der regelmäßig Berichte von den »Promenades à travers les Salons« brachte. Mit dem Kreis um diese Zeitschrift, die ab Mai 1904 zunächst monatlich, ab 1907 zweimonatlich erschien, hatte Kandinsky seit ihren Anfängen in Kontakt gestanden.[17] Ihr Herausgeber, der Künstler Alexis Mérodack-Jeaneau, der unter dem Pseudonym Gérôme Maësse zahlreiche Artikel und Kritiken verfaßte, begann ab Oktober 1906 eine große Anzahl von Kandinskys Holzschnitten in seiner Zeitschrift zu publizieren. In der Juni-Nummer 1908 und der Februar-Nummer 1909 von *Les Tendances Nouvelles* erschienen dann auch insgesamt sie-

7 Gabriele Münter, *Parkbank, Kinderwagen*, um 1907.
Vermutlich Linolschnitt, abgebildet in *Les Tendances
Nouvelles*, Paris, Nr. 40, Februar 1909

ben Druckgraphiken von Gabriele Münter. Im Juni-Heft 1908 wurden vier von ihnen in
eine Besprechung des Salon des Indépendants von Octave Mirabeau eingestreut,
zusammen mit Holzschnitten Kandinskys und Randillustrationen von Manzana Pissar-
ro. Münters schwarz-weiße Graphiken *Kleine Holländerin*, *Im Café I*, *Im Café II* und *Kind
mit Puppe* (Kat. 23-25, 28) fügten sich dabei ebenso wie die ihrer Künstlerkollegin als
offensichtlich für diesen Zweck bestimmte, kleine Rand- und Kopfillustrationen um
den Text, die ein durchgängiges Gestaltungsmerkmal im Erscheinungsbild der *Tendances Nouvelles* waren.[18] In einem Nachsatz zu der Besprechung geht Henri Breuil auf Kandinsky, besonders aber lobend auf Münter ein.[19]

Vier Nummern später, im Februar 1909, als Münter längst in München und Murnau
arbeitete, erschienen in der gleichen Zeitschrift nochmals drei Schwarz-Weiß-Schnitte:
die im Werkkatalog von Sabine Helms 1967 – allerdings ohne Angabe dieser Veröffentlichung – angeführte *Parkbank* (Kat. 22) und *Heustadel* (Kat. 27). Die dritte der Graphiken findet sich auf einer Doppelseite gegenüber von *Parkbank*, in stilistisch gleicher
Manier, ebenfalls als querformatige Kopfvignette über dem Text angebracht (Abb. 7):
Sie soll hier in Anlehnung an ihr registriertes Gegenstück *Parkbank*, *Kinderwagen* genannt
werden.[20] Im Stil ähneln die *Parkbank*-Darstellungen Münters Pinselstudien in zahlreichen ihrer Pariser Skizzenbücher vom Winter 1906/07, als sie an der Académie
Grande Chaumière einen Kurs für Pinselzeichnung besuchte, in dem sie bekanntlich
von Théophile Steinlen für ihre entschiedene Zeichnung gelobt wurde.[21]

Wie bereits erwähnt, waren die *Spielzeugserie* und *Schlafendes Kind* schon auf der Früh-
jahrs-Ausstellung der Indépendants im März 1908 zu sehen. Kurz darauf wurden »alle
24 Handgravüren«, das heißt alle 24 Farbholz- oder Linolschnitte des Frühwerks bis
1908, in einer Sonderausstellung Gabriele Münters im Kölner Kunstsalon Lenoble im
Mai 1908 vorgestellt, die im Juni in das »Schwarz-Weiß-Cabinett« von Friedrich Cohen
nach Bonn weiterwanderte.[22] Sie wurden von der zeitgenössischen Presse positiv aufgenommen.[23]

Nach einer letzten Reise im Frühjahr 1908 nach Südtirol waren Münter und Kandinsky wieder nach München zurückgekehrt, um sich hier dauerhaft niederzulassen.
Auf einem ihrer Ausflüge in die Umgebung entdeckten sie Murnau im Alpenvorland,
wo es während eines gemeinsamen Malaufenthaltes im Spätsommer 1908 mit ihren
Kollegen Alexej Jawlensky und Marianne von Werefkin zu einer entscheidenden Wende
in der Malerei aller beteiligten Künstler kam. Dieser Durchbruch zu den langgesuchten,
eigenen Ausdrucksmitteln einer neuartigen, expressiven und farbenstarken Malerei, die
zugleich die Vorgeschichte des Blauen Reiter einleitete, ließ für Münter das druckgraphische Arbeiten dauerhaft in den Hintergrund treten. Die Neuerungen ihrer nun in
großer Zahl entstehenden Ölgemälde lassen sich hier nur kurz streifen: die Reduktion
der Einzelformen, ein flächiger Bildaufbau durch kräftige, ungemischt nebeneinander
gesetzte Farbzonen, die Unabhängigkeit der Farbe vom Naturvorbild und eine zunehmende Vereinfachung der Gegenstände zur Steigerung des Ausdrucks. Auch die Entdeckung der volkstümlichen Hinterglasmalerei mit ihren schlichten schwarzen Umrißlinien und den leuchtenden Farbflächen mag mit dazu beigetragen haben, daß die
Bedeutung des druckgraphischen Arbeitens für Münter zurücktrat und durch das Interesse an einem anderen Medium wenn nicht ersetzt, so doch überlagert wurde. Die
Hinterglasmalerei kam ihren Intentionen in vielfacher Hinsicht entgegen, nicht zuletzt
wegen der schlichten Naivität ihrer Darstellungen, die die Künstler im Zuge einer allgemeinen Aufwertung »primitiver« Kunst auf jeweils eigene Weise für ihre Ziele zu nutzen
verstanden. Münter war die erste aus dem Murnauer Kreis, die Hinterglasbilder zu

kopieren begann und bald eigene Darstellungen in dieser Technik malte (Abb. 8).
Zudem arbeitete sie volkstümliche Objekte und religiöse Schnitzfiguren vermehrt in
ihre berühmt gewordenen Stilleben ein, auch hölzernes Spielzeug wie das »Klapperpüppchen« (vgl. Kat. 37.3), das nun eine andere Art von Naivität verkörpert als noch die
Objekte der *Spielzeugserie* für ihre Nichte Friedel.

Die Ereignisse vor der Gründung des Blauen Reiter und die Rolle Gabriele Münters
in den Jahren 1909 bis 1912 können hier ebenfalls nur kurz gestreift werden.[24] Im Januar
1909 war die Neue Künstlervereinigung München ins Leben gerufen worden, zu deren
Kerngruppe der Murnauer Freundeskreis um Kandinsky, Münter, Jawlensky und Werefkin
gehörte.[25] Auf der 1. Ausstellung der NKVM in der Modernen Galerie Heinrich Thannhauser im Dezember 1909 in München zeigte Münter neben einer Reihe neuer Gemälde auch die beträchtliche Anzahl von neun unter dem Begriff »Handdruck-Gravüren«
geführten Drucken ihres Pariser und Berliner Frühwerks bis 1908.[26] Bekanntlich reagierte
die Presse auf diese erste NKVM-Ausstellung mit heftiger Ablehnung und Polemik,
worunter sich die Kritik im *Bayerischen Kurier* vom 4. Dezember 1909 noch mit am
harmlosesten liest: »Diese inneren Erlebnisse dieser jungen Gruppe sind freilich ein
wenig bunt und schemenhaft, die Formen derselben sind brutal – verzerrt die Farben in
Grundtönen, also in krasser Buntheit gehalten. Ausleben im Bunten, Wüten in Farben
und verzerrten Linien, das sind die Hauptnormen.«[27] Bemerkenswert an diesen Kritiken
ist jedoch, daß sie neben wenigen Ausnahmen einzig Münters Farbholzschnitte gelten
lassen oder im Vergleich lobend hervorheben. Hatte schon der bekannte Kritiker Fritz
von Ostini in seiner ansonsten verletzenden Kritik lediglich den »Farbengravüren«
Gabriele Münters »ein gewisses Talent« zugesprochen, so wird sein Kollege Hermann
Eßwein noch deutlicher: »Eine Anzahl, wie zu hoffen steht, sehr junger Leute bietet im
schönen Oberlichtsaale der Modernen Galerie (Arco-Palais) ein verfrühtes Faschings-
vergnügen, einen Künstlerulk, dem leider nichts weiter fehlt als der Humor.« Von Bizar-
rem, Pathologischem und Sudeleien im Stil von Henri Matisse ist die Rede, nur Alfred
Kubins neue »romantische« Graphiken scheinen ihm annehmbar, daneben aber betont
er auch: »Ersten Ranges, ganz allerliebste naive Märchendichtungen voll echten lyri-
schen Zaubers sind auch ein paar kleine Farbenholzschnitte von Gabriele Münter (Park,
Häuschen, Alte, Brücke). Es ist einfach nicht zu fassen, wie jemand, dem solche Kabi-
nettstückchen gelingen, dann wieder in der Art dieser selben Gabriele Münter mit närri-
schen Farben und wüsten Linien auf der Leinwand herumzufuhrwerken vermag!«[28] Im
selben Tenor ist auch die Kritik des Frankfurter Generalanzeigers auf dem Turnus der
1. NKVM-Ausstellung im Salon Goldschmidt in Frankfurt gehalten: »Man ist überhaupt
sehr dumm im Kopfe, wenn man aus dieser Ausstellung herauskommt, namentlich
wenn man merkt, daß diese Maler auch anders können, wenn sie wollen, und zum Teil
gar nicht unbegabt scheinen, z.B. für den Plakatstil oder für flächig behandelte Farbendrucke, wie etwa Gabriele Münter.«[29]

An dieser Stelle wird deutlich, daß die aus heutiger Sicht leicht zu äußernde Einschätzung, Gabriele Münter habe in ihren Farbholzschnitten vor 1908 Entwicklungen
vorweggenommen, zu der sie und ihre Gefährten in der Malerei erst in den Murnauer
Jahren im Vorfeld des Blauen Reiter gelangten, nur mit einiger Einschränkung geäußert
werden kann.[30] Ohne Zweifel hatte die Druckgraphik der Moderne, allen voran die Flächenkunst der Nabis, den Durchbruch zu neuen Ausdrucksmitteln auch in der Malerei
der Avantgarde geebnet. Man darf jedoch nicht vergessen, daß zur Zeit des Auftrittes der
»wilden« Malerei der NKVM diese Neuerungen schon über 30 Jahre alt waren und zu
akzeptierten, als ästhetisch empfundenen Sehgewohnheiten geworden waren. Insbe-

8   Gabriele Münter, *Murnauer Bäuerin mit Kindern*,
1909/10, Hinterglasbild, Städtische Galerie im Lenbachhaus, München

sondere der Jugendstil hatte zudem mit seiner dekorativen, schönlinigen Flächenkunst eine weitere Akzeptanz im breiten Publikum erreicht. Insofern verrät die positive Hervorhebung der Münter'schen Druckgraphik bis 1908 durch die damalige Kritik, daß man ihre Graphik, deren klare und harmonische Linienführung in allen Beispielen noch den Nachhall des Jugendstils zeigt, bereits zu einer gemäßigten und akzeptierten Moderne zählte, während die neuen »wüsten Farbenorgien« von ihrer eigenen Hand und der ihrer Mitstreiter nach zeitgenössischer Sicht dazu in unversöhnlichem Gegensatz zu stehen schienen.

Auf der 1. NKVM-Ausstellung vom Dezember 1909 hatte Münter noch zwei weitere Druckgraphiken ausgestellt: den *Neujahrsholzschnitt 1909* und *Neujahrsholzschnitt 1910* (Kat. 37, 38). Sie fungieren in der Katalogbroschüre nicht unter der Rubrik ihrer »Handdruck-Gravüren«: Tatsächlich sind diese *Neujahrsholzschnitte*, zusammen mit dem von 1911 (Kat. 40), die einzigen von Münters Druckgraphiken, die – sieht man von den Lithographien für Plakat und Katalog ihrer Kopenhagener Ausstellung 1918 ab – im Maschinendruck in einer vergleichsweise hohen Auflage von bis zu 65 Exemplaren hergestellt wurden.[31]

Bis auf die *Neujahrsholzschnitte* 1910 und 1911 und einen weiteren, noch mit Japanaqua gedruckten Farbholzschnitt, die vermutlich um 1910/11 entstandenen *Heuhaufen* (Kat. 39), schuf Münter in den Jahren bis 1912 keine weiteren Druckgraphiken mehr.[32] In der bewegten Periode bis zur Gründung des Blauen Reiter im Dezember 1911 hatte die Malerei für Münter ganz im Vordergrund gestanden, ebenso die Aktivitäten für Ausstellungen und den Almanach *Der Blaue Reiter*. Das Jahr 1912 allerdings brachte insgesamt einen Rückgang ihrer künstlerischen Produktion mit sich, wohl auch bedingt durch persönliche Spannungen in der Gruppe und die wachsende Entfremdung von Kandinsky. In dieser Situation bedeutete es eine entscheidende Anregung, daß Kandinsky auf seiner erneuten Reise nach Rußland im Oktober 1912 in Berlin bei Herwarth Walden, dem Leiter der Sturm-Galerie Station machte und sich dort unter anderem für eine Einzelausstellung Münters einsetzte.[33] Tatsächlich besuchte Herwarth Walden kurz darauf Gabriele Münter in München und zeigte sich begeistert für ihre Bilder. Dabei wurde nicht nur ihre Kollektiv-Ausstellung in der Sturm-Galerie für Januar 1913 fest vereinbart, sondern Walden forderte sie auch auf, für seine gleichnamige Zeitschrift *Der Sturm* Holzschnitte anzufertigen. Die Lieferung von Druckgraphiken an diese Zeitschrift als dem damals wichtigsten Forum expressionistischer Graphik, Lyrik und Kunstkritik in Deutschland war eine Herausforderung, die Münter bereitwillig annahm: »Will versuchen f. Sturm was zu machen«, schrieb sie am 28. Oktober 1912 an Kandinsky und meint die gewünschten Druckgraphiken, »große Sachen« könne sie im Moment ohnehin nicht machen.[34] Am 1. November 1912 konnte sie Kandinsky dann melden: »Gestern habe ich f. Sturm den Holzschnitt gemacht. Ist nicht schlecht aber bin nicht entzückt. Hatte gerade paar Drucke gemacht u. fertig geschnitten, da kam Frau Goltz.« Und weiter unten heißt es: »Habe Lust bekommen einige Holzschn. zu machen. Walden hats pressant gemacht.«[35] Die fünf Schwarz-Weiß-Holzschnitte, die Münter in diesem Winter für den *Sturm* anfertigte und die von November 1912 bis Mai 1913 in fünf verschiedenen Nummern der Zeitschrift erschienen, *Bauarbeit, Blumengießen, Bauernfamilie, Habsburger Platz* und *Neujahrswunsch*, sind im Werkkatalog näher erläutert (Kat. 41–45). Dabei zeigen die vielen unmittelbar vorangehenden Entwürfe und Kompositionsskizzen etwa zum Holzschnitt *Blumengießen* (Kat. 42), der dann auch als Plakatmotiv für ihre große Einzelausstellung in Herwarth Waldens Berliner Galerie diente,[36] daß Münter der Wiederaufgriff der druckgraphischen Technik nicht leicht gefallen ist. Während sie für diesen Druck

9 Gabriele Münter, *Arbeitspferde*, 1911/12. Bleistiftzeichnung, Städtische Galerie im Lenbachhaus, München

10 Gabriele Münter, Zwei Skizzen zu *Bauarbeit*, um 1912. Tusche, Städtische Galerie im Lenbachhaus, München

offenbar auf eine mindestens ein halbes Jahr zuvor entstandene Zeichnung zurückgriff, die bereits auf der 2. Ausstellung des Blauen Reiter »Schwarz-Weiß« im Februar/ April 1912 ausgestellt gewesen war, nahm sie in drei anderen Fällen ihrer ›Sturm‹-Graphik, für *Bauarbeit, Bauernfamilie* und *Habsburger Platz,* Gemälde zur Vorlage, die sie bereits 1911 oder bis zum Frühjahr 1912 geschaffen hatte. Exemplarisch für dieses Vorgehen und auch für Münters neuen graphischen Stil soll hier *Bauarbeit* herausgegriffen werden. Dieses Motiv hatte Münter im Entstehungszusammenhang mit einem Gemälde in verschiedenen Skizzen umkreist, etwa in der genau durchgeführten Bleistiftzeichnung *Arbeitspferde* (Abb.9) oder den äußerst schwungvollen Teilstudien in Tuschfeder (Abb.10). Auch die Zeichnung *Arbeitspferde* war nachweislich auf der 2. Ausstellung des Blauen Reiter ausgestellt, die im Frühjahr 1912 in der Münchner Galerie Hans Goltz unter dem Motto »Schwarz-Weiß« ausschließlich Arbeiten auf Papier zeigte.[37]

Für den Holzschnitt *Bauarbeit* kreiste Münter in Umarbeitungen dieser länger zurückliegenden Zeichnungen die Bildformulierung weiter ein, wobei die zunehmende Vertauschung der Schwarz- und Weißzeichnung von Figur und Grund und die kompakte, »hölzerne« Figurendarstellung auffallen (Abb.11). In *Bauernfamilie* ist dieses Verfahren noch weiter getrieben, indem die Figuren fast schablonenhaft aus dem schwarzen Grund geschnitten sind. In den eckig bewegten Figuren des *Neujahrsholzschnitt 1913* und der Behandlung des Holzstocks scheint Münter wiederum Einflüsse der Berliner expressionistischen Graphik, etwa von Ernst Ludwig Kirchner, aufzunehmen, die in der *Sturm*-Zeitschrift prominent publiziert wurde und prägend für das graphische Schaffen junger Künstler in Deutschland dieser Jahre werden sollte (Abb.12). Besonders viele Graphiken, meist Titelbilddrucke, wurden hier von Artur Segal veröffentlicht, dessen spröde und flächenhafte, ausdrucksstarke Handhabung des Schwarz-Weiß-Drucks vermutlich für Münters spätes druckgraphisches Schaffen eine Anregung darstellte (Abb.13). Bei allen *Sturm*-Graphiken, auch denen Gabriele Münters, handelte es sich dem künstlerischen Anspruch der Zeitschrift folgend um Originalholzschnitte, die vom Stock gedruckt wurden.[38] Daß Münter, wie auch Kandinsky, die Zeitschrift *Der Sturm* spätestens seit 1912 nicht nur als Lieferanten von künstlerischen Originaldrucken aufmerksam verfolgten, geht aus vielen Indizien hervor. So schrieb sie am 1. November 1912 an ihren Gefährten nach Rußland: »Aber von Campendonk ist im Sturm ein Holzschnitt der ganz geschickt zusammengestohlen ist aus Marc, Kokoschka u. Kandinsky.« (Abb.14)

Mit dem kompakten, in der Figurendarstellung vereinfachend-naiven Stil, den Münters *Sturm*-Holzschnitte bis auf *Habsburger Platz* aufweisen, dürfte sie auch ihrem Auftraggeber entgegengekommen sein. Dieselbe Tendenz einer Verfestigung klarer Flächenfiguren läßt sich auch in einigen großen Ölbildern Münters von 1912 beobachten, etwa den großen Gemälden *Kandinsky und Erma Bossi am Tisch* oder *Kahnfahrt* (Milwaukee

11 Gabriele Münter, *Bauarbeit*, Titelholzschnitt der Zeitschrift *Der Sturm*, Nr, 136/37, November 1912 (vgl. Kat.41)

12 Ernst Ludwig Kirchner, *Tanzendes Paar*, Titelholzschnitt der Zeitschrift *Der Sturm*, Nr. 96, Januar 1912

13 Artur Segal, *Sommersitz*, Titelholzschnitt der Zeitschrift *Der Sturm*, Nr. 95, Januar 1912

14 Heinrich Campendonk, *Halbakt mit Katze*, 1912.
Holzschnitt in der Zeitschrift *Der Sturm*, Nr. 134/135,
November 1912

Art Museum), die beide auf kleinerformatige, in der Malweise viel lockerer gearbeitete
Ölstudien von 1910 zurückgehen. Von dem ereignisreichen Atelierbesuch Herwarth
Waldens im Oktober 1912 hatte Münter unter anderem Kandinsky berichten können,
daß Walden besonders das große »Du und Bossi Bild« gefallen habe, womit das erwähnte Gemälde *Kandinsky und Erma Bossi am Tisch* gemeint ist (Abb. 15). Als Münters erste
Einzelausstellung – die ausschließlich Gemälde zeigte – aus Berlin in verkleinerter Form
nach München in den Neuen Kunstsalon von Max Dietzel weiterwanderte, ließ die
Künstlerin eine neue kleine Katalogbroschüre drucken, die auf der Vorder- und Rückseite jeweils von einem Holzschnitt in grünem Druck geschmückt war (Abb. 16, vgl. Kat.
46, 47). Auch für das Titelbild *Straße mit Hund* wählte sie ein Motiv, das mit dem kleinen
Hund im Vordergrund ein naives Moment erhält und damit eine Eigenart im Schaffen
Münters dieser Jahre spielerisch charakterisiert, mit dem sie wohl, ganz im Sinne der
Ideologie des Blauen Reiter, auch das Echte, Unverbildete und Einfache ihrer Kunst
betonen wollte.[39] Mit den beiden kleinen Holzschnitten für den Katalog ihrer Münchner
Ausstellung im März 1913 endete Münters druckgraphisches Werk der Vorkriegszeit.

Die stilistischen und motivischen Veränderungen in Münters gesamten Schaffen
während der Periode des skandinavischen Exils können im Rahmen dieser Einführung
nur angedeutet werden. Nicht nur in der Malweise, sondern auch in der nun sehr persönlichen Ikonographie ihrer Bildthemen bedeutete die Zeit in Schweden und Dänemark einen tiefen Einschnitt und einen Abschied von der Kunst des Blauen Reiter. Als
Münter im Sommer 1915 nach Stockholm übersiedelte, um im neutralen Ausland auf
Kandinsky zu warten, der als russischer Staatsbürger nach Ausbruch des Ersten Weltkrieges in sein Heimatland zurückgekehrt war, traf sie hier auf eine Kunstszene, die im
Bereich der Avantgarde von den schwedischen Matisse-Schülern um Isaac Grünewald
und Sigrid Hjertén geprägt war. Der stilistische Einfluß dieser sogenannten Schwedischen Expressionisten auf Münters Bilder ist wiederholt erörtert worden.[40] Zunächst
entstanden jedoch nicht allzuviele Werke. Beherrschend für Münter, besonders in der
Anfangszeit des skandinavischen Exils, war das Warten auf Kandinsky, der schließlich
im Dezember 1915 von Moskau nach Stockholm kam und hier bis zum März 1916
ein letztes Mal mit ihr zusammen blieb. Es ist sicher nicht falsch, zu vermuten, daß

15 Gabriele Münter, *Kandinsky und Erma Bossi am Tisch*, 1912. Öl/Leinwand, Städtische Galerie im Lenbachhaus, München

Kandinsky es war, der Münter während dieser Monate dazu anregte, mit der Radierung eine neue Technik des druckgraphischen Arbeitens aufzugreifen. Kandinsky hatte sich bereits in der Vorkriegszeit 1913/14 in München erstmals mit Radierungen beschäftigt; während des Stockholmer Aufenthaltes schuf er nun, beinahe gänzlich auf Papierarbeiten beschränkt, eine Serie von Radierungen auf Zink, die er in laufender Folge durchnumerierte und dem Medium gemäß in einer sehr kleinen Auflage von sieben bis zehn Exemplaren drucken ließ. In Stil und Themen eng verwandt mit diesen Radierungen sind auch die in Schweden entstandenen Aquarelle und Zeichnungen Kandinskys, in denen – nach langen Jahren schon beinahe gänzlich abstrakten Arbeitens – gegenständliche Elemente, etwa biedermeierliche oder altrussische Figürchen, wie eine überraschende und ferne Erinnerung an seine Anfangszeit durcheinanderwirbeln. Kandinsky nannte diese Werke in seinem ›Hauskatalog‹ »Bagatellen«, eine Bezeichnung, die laut Johannes Eichner von Münter stammte.[41]

Die Anregungen Kandinskys, auch hinsichtlich der Figurendarstellung im Gewand der Belle Epoque, lassen sich in den ersten Radierungen Münters nicht übersehen (Abb. 17, 18). Auch im technischen Vorgehen finden sich Parallelen: so benutzte Münter für alle ihre Radierungen Zinkplatten, die als das weichere Material leichter als Kupfer zu bearbeiten sind, auch sie begann ihre in kleiner Auflage von bis zu zehn Exemplaren gedruckten Radierungen durchzunumerieren und schließlich benutzte sie sehr ähnliches Tiefdruckpapier beziehungsweise Velinpapier, ein glattgeschöpftes Bütten, das keine Gitterstrukturen erkennen läßt. Manches spricht dafür, daß Münter erst nach dem Weggang Kandinskys im März 1916 mit der Folge ihrer Radierungen »Nr. 1–7«, *Stilleben, Kinderwagen, In Erwartung, Uhrmacher, Bei der Schleuse Stockholm, Suchende* und *Mutter und Sohn* begann, die im Werkkatalog im Einzelnen beschrieben sind (Kat. 50–56). Darauf weist auch der Umstand hin, daß Münter auf ihrer Kollektiv-Ausstellung im März 1916 bei Gummesons Konsthandel in Stockholm, die sie für sich – ebenso wie die vorangehende für Kandinsky – durch Vermittlung von Herwarth Walden erfolgreich aushandeln

16 Titel- und Rückseite der Katalogbroschüre ›Kollektiv-Ausstellung Gabriele Münter (1904–1913)‹, Der Neue Kunstsalon Max Dietzel, München 1913

17 Gabriele Münter, *In Erwartung*, 1916.
Radierung (Kat. 52)

18 Wassily Kandinsky, Radierung 1916 – No. IV, 1916

19 Gabriele Münter, *Kinderwagen*, 1916. Radierung (Kat. 51)

20 Gabriele Münter, *Kinder im Sportwagen*, 1916.
Öl/Malkarton, Gabriele Münter- und Johannes Eichner-
Stiftung, München

konnte, noch keine Radierungen zeigte.[42] Erst auf ihrer nächsten Einzelausstellung im Mai 1917 in Ciacellis Nya Konstgalleriet sind als allgemeine Katalogeinträge neben 32 neuen Bildern auch die Kategorien Zeichnungen, Glasbilder und »Etsningars« (Radierungen) genannt. In Kopenhagen schließlich, auf ihrer umfangreichen Personalausstellung im Künstlerverband Den Frie Udstilling im Frühjahr 1918, zeigte Münter dann alle Radierungen »Nr. 1–7«.

Einigen Motiven ihrer schwedischen Druckgraphiken liegen wiederum Gemälde zugrunde, doch Münter hat in dieser Periode offensichtlich die Graphiken in einem engeren zeitlichen Schaffenszusammenhang mit den Ölbildern entwickelt. Dabei läßt sich die neuartige, feinlinie und spitze Linienführung ihrer Radierungen, natürlich auch bedingt durch die Erfordernisse des Umgangs mit dem Stichel, ebenso in vielen ihrer gleichzeitig entstandenen Gemälde beobachten, etwa in den eckig gebrochenen Konturen des Ölbildes der *Kinder im Sportwagen*, das auch die für Münters schwedische Zeit oft typische Maßstabverkleinerung der schwarzen Figürchen im Hintergrund aufweist (Abb. 19, 20). Nicht nur ein ganz anderer, bisweilen sogar klaustrophobischer Raumeindruck als in der Blauen Reiter-Zeit wird in den schwedischen Bildern evoziert, etwa in *Uhrmacherladen* und *Suchende* (Kat. 53, 55), sondern auch eine persönlich gefärbte Thematik von Warten und Einsamkeit.

Eine weitere Technik der Druckgraphik – und damit auch die dritte und letzte der klassischen druckgraphischen Techniken – setzte Münter erstmals mit den Lithographien für die Katalogbroschüre und das Ausstellungsplakat für ihre große Einzelausstellung in Kopenhagen im März 1918 ein. Das relativ großformatige, lithographierte Plakat wurde in zwei verschiedenen Farbzuständen in einer höheren Auflage gedruckt (Kat. 57). Nach Dänemark war Münter Ende 1917 von Stockholm übergesiedelt und kehrte von dort aus erst 1920 nach Deutschland zurück.

Die neue Technik der Lithographie wird in Münters druckgraphischem Werk der zwanziger Jahre eine bevorzugte Stellung einnehmen. Bis auf einige wenige Radierungen schuf sie in den Jahren von 1921 bis 1924 zehn Steindrucke, von denen sie neun ebenfalls in fortlaufender Folge numerierte (Kat. 60, 61, 63–69). Überwiegend sind diese schwarz-weißen Lithographien dem menschlichen Bildnis gewidmet, dem in diesem Jahrzehnt auch in der Zeichnung Münters Hauptinteresse galt. Der Steindruck schien ihr das geeignete Mittel, ihre später bekannt gewordenen und geschätzten Umrißzeichnungen umzusetzen, die mit wenigen sparsamen Linien das Charakteristische der Dargestellten auf das Papier bannen, worunter die Lithographie der *Gestützten* (Kat. 67) ein herausragendes Beispiel ist. Andere von Münters Steindrucken, etwa *Mädchen mit Zöpfen*, *Bildnis der Sängerin Jungkurth*, *Bei Manns in der Elmau*, *Herrenbildnis*, nehmen sich dage-

gen konventioneller aus und folgen in der zum Teil etwas zaghaften Binnenzeichnung ebenfalls bis in jede Einzelheit der zeichnerischen Vorlage. Denn alle ihre Lithographien zeichnete Münter nicht direkt auf den Stein, sondern wählte das leichter zu handhabende Verfahren der Umdruck-Lithographie, bei dem der Künstler oder die Künstlerin wie gewohnt auf Papier zeichnen kann, das lediglich mit einer speziellen Fettschicht versehen ist. Diese Technik besitzt darüberhinaus den Vorteil der Seitenrichtigkeit von Entwurf und Druck, »die Zeichnung erfolgt hier nämlich nicht auf den Stein, sondern mit lithographischer Tusche oder Kreide auf ein gewöhnliches Zeichenpapier, dessen Vorderseite mit einer Art Kleisterschicht präpariert ist. Hat der Künstler seine Zeichnung fertiggestellt, wird das Blatt mit dem Gesicht auf die Steinplatte gelegt, dann mit Wasser aufgeweicht, aufgepreßt und schließlich abgewaschen. Wie bei einem Abziehbild bleibt die Zeichnung in jedem Detail als Abklatsch auf dem Stein zurück und kann danach ebenso wie eine direkt auf den Stein gezeichnete Lithographie behandelt und gedruckt werden.« Diesen Vorteilen des leichten Herstellungsverfahrens – auch dazu soll noch einmal einer berufenen Stimme das Wort gegeben werden – stehen allerdings »schwerwiegende Nachteile gegenüber: der Künstler arbeitet nicht mehr unmittelbar auf dem Druckträger, und die Problematik von Original und Reproduktion wird augenscheinlich. (…) Ein anderer Nachteil des Umdruckens ist noch viel schwerwiegender. Es zeigt sich nämlich in der Praxis, daß ein Blatt, das auf Umdruckpapier statt auf den Stein gezeichnet wurde, sehr oft qualitativ verliert – zumal dann, wenn es zu Reproduktionszwecken verwendet wird. Ein verquetschtes Papierkorn tritt in Erscheinung und nimmt der Lithographie viel an Kraft. Prinzipiell wird daher aus künstlerischen Gründen ein direkt auf den Stein gezeichnetes Werk vorzuziehen sein.«[43] Alles spricht dafür, daß Münter ihre Lithographien auch nicht selbst vom Stein druckte, sondern dies, wie im Umdruckverfahren üblich, handwerklichen Druckern überließ.

Nach 1924 entstanden jahrelang keinerlei Druckgraphiken mehr, auch bedingt durch Münters häufige Ortwechsel in dieser künstlerisch wie persönlich unruhigen Periode. »In dem Jahrzehnt zwischen 1920 und 1930 hatte ich keine fruchtbare Zeit

21   Gabriele Münter, *Zwei Entwürfe zu Waldweg*, 1931 (Kat. 77.2 a, e)

22 Gabriele Münter, Entwurf zu *Straße mit drei Bäumen*, um 1932 (Kat. 83.2 b)

in der Malerei. Ich lebte unstet hier und da, bald in meinem Haus in Murnau, bald in Pensionszimmern, bald als Gast bei Freunden oder Verwandten. Jahrelang hatte ich kein Atelier. Da war das Skizzenbuch mein Freund, und die Zeichnung der Niederschlag meiner Augenerlebnisse. Gerade damals waren die Menschen das, was mich an der Welt am meisten interessierte.«[44] Die in den Steindruck umgesetzten Porträts bis 1924 zeigen meist Gäste aus dem Sanatorium Schloß Elmau bei Garmisch, mit denen Münter bei ihren häufigen dortigen Aufenthalten vorübergehende Bekanntschaft schloß. 1925 schließlich ging Münter von Murnau über Köln nach Berlin, wo sie bis 1929 blieb und wo viele ihrer knappen Bleistiftporträts nach meist weiblichen Modellen entstanden, deren flüssig durchgezogener Strich mit den Umrißzeichnungen von Henri Matisse oder Olaf Gulbransson verglichen wurde. Als »Menschenbilder in Zeichnungen« wurde eine Auswahl von ihnen in dem gleichnamigen Buch von Gustav Friedrich Hartlaub 1952 veröffentlicht, das einen nicht unerheblichen Einfluß auf die Rezeption der Künstlerin Gabriele Münter in der Nachkriegszeit hatte.

Gegen Ende ihres Aufenthaltes in Berlin hatte Münter den Kunsthistoriker und Privatgelehrten Johannes Eichner kennengelernt, der bis zu seinem Tod 1958 ihr Lebensgefährte wurde. Mit Eichner zusammen ließ sich Münter 1931 wieder dauerhaft in ihrem Haus in Murnau nieder, in dem sie 1962 starb. Die Stabilisierung ihrer privaten Situation kommt zu Beginn der dreißiger Jahre auch in ihrer künstlerischen Produktion zum Ausdruck: Sichtbar knüpfte Münter jetzt an ihre expressionistische Flächenmalerei der Jahre des Blauen Reiter an, zahlreiche, farbintensive Gemälde entstehen: »Jetzt sucht sie eine neue, gebundene Ausdrucksform, kräftig begrenzte, zum Ausgleich strebende Farbfelder, oft lebt in ihnen die frühere Kraft koloristischer Eindringlichkeit von früher auf«, heißt es in einem Pressekommentar. Neben einer von weichen, homogenen Farbflächen geprägten Malerei entsteht bis Ende 1934 noch einmal ein druckgraphisches Werk von über einem Dutzend kleinformatiger Schwarz-Weiß-Holz- bzw. Linolschnitte, die in ihrem künstlerischen Ausdruck sehr viel herber wirken (Kat. 76–88). Während Münters erneute Wahl dieser Technik sicher ebenfalls mit der Rückbesinnung auf ihre expressionistische Periode einherging, nutzt sie nun die Herausforderung des Mediums für eine Reduzierung ihrer Bildentwürfe auf ein dichtes Gerüst von Grundstrukturen. Mit ihnen schneidet sie gleichsam ein Konzentrat ihrer auch hier meist zum Vorbild genommenen Ölgemälde in die Druckplatte, wobei die Schwarz-Weiß-Struktur offener oder auch dichter gehalten sein kann, etwa im Gitterwerk der *Schattenstreifen* (Kat. 78). Eine Reihe von diesen Holz- oder Linolschnitten, so auch das bekannt gewordene Konturenbild ihres Hauses in Murnau (Kat. 76), druckte Münter auf Postkarten für den Versand an Freunde und Bekannte, was sicher auch die Wahl der kleinen Formate mitbestimmt hat. In den oft zahlreichen, ebenso kleinformatigen Entwürfen zu diesen Schnitten, beispielsweise zu *Waldweg* von 1931 (Kat. 77), wird Münters Bemühen um die Verteilung von Schwarz- und Weißwerten erkennbar, die oft zugunsten weiterer Schwarzzonen für die Druckvorlage verschoben werden (Abb. 21). Der Aufbau der Bilder durch stark konturierte, mit Tusche gesetzte Schwarzstrukturen erinnert an die Arbeitsweise, wie sie Johannes Eichner auch für die Gemälde Gabriele Münters aus den dreißiger Jahren beschreibt.[45] In den beiden stilistisch auffallend abweichenden Schnitten *Straße mit drei Bäumen* und *Oberbayerisches Dorf* (Kat. 83, 84) ist das Gewicht der starken Schwarzkontur zur Bezeichnung der Bildelemente ganz dem Aufbau aus schwarzen und weißen Flächenzonen gewichen, wobei die Gegenstandsformen – ähnlich wie in manchen ihrer *Sturm*-Holzschnitte – durch Weiß bezeichnet werden. Die kleinen Entwürfe zu *Straße mit drei Bäumen* lassen die schrittweise Umkehrung der Bildfiguren von

23 Gabriele Münter, *Heuaufladen am Riegsee*, 1931
Öl/Karton, Privatbesitz

24 Gabriele Münter, Entwurf zu *Heuaufladen*, um
1932/33 (Kat. 85.5 c)

schwarzer Tusche auf weißem Grund bis hin zur Weißzeichnung in Deckweiß auf
Schwarz gut erkennen (Abb. 22). In beiden Druckgraphiken scheint stilistisch eine ferne
Erinnerung an die *Sturm*-Graphik der Vorkriegsjahre aufzuscheinen, etwa an das
graphische Schaffen von Artur Segal, mit dem Münter Ende 1925 in Berlin wieder Kontakt aufgenommen hatte und dessen gutgehendes Schulatelier sie damals vorübergehend besuchte. Auch ihre Graphik *Heuaufladen* (Kat. 85) lebt von der Umkehrung der
Schwarz- und Weißzeichnung, allerdings weniger in abstrahierenden Flächenformen
wie *Straße mit drei Bäumen*, sondern mit einer eng an die Figurendarstellung des zugrun-
deliegenden Ölgemäldes angelehnten, einfachen Weißzeichnung (Abb. 23, 24). Dieses
1932 datierte Ölbild zeigt bereits einen Weg an, den Münter in ihren Gemälden und
Aquarellen der späteren dreißiger Jahre weiterverfolgen wird: weniger die abstrahierende, zusammenfassende Sehweise, die insbesondere ihre Bilder der Blauen Reiter-Zeit
auszeichnet, sondern eher die Orientierung an der realistischen Umsetzung des figür-
lichen Vorbildes wird für das nächste Jahrzehnt in ihren Landschaftsbildern, Stilleben
und Porträts im Vordergrund stehen.

Dies mag auch ein Grund sein, warum Münters druckgraphisches Werk mit dem
Neujahrswunsch 1935 abbricht. Nach den Jahren der Verfemung im Nationalsozialismus
und den Kriegsjahren griff die alternde Künstlerin ihre druckgraphischen Techniken
nicht mehr auf. Als eine neue, leichter zu handhabende künstlerische Technik rückte
nun die Ölmalerei auf Papier in den Mittelpunkt ihres Interesses, in der sie in den fünf-
ziger Jahren neben ihren bekannten Blumenstilleben auch zahlreiche abstrakte Kompositionen schuf.

Münters druckgraphisches Werk von 1903 bis 1935 bildet einen in der Qualität
überzeugenden, eigenständigen Teil ihres Gesamtwerks, wobei die Holz- und Linolschnitte neben den schwedischen Radierungen besonders hervorzuheben sind. Allen
ihren Drucken liegt ihre große Begabung für die Zeichnung zugrunde, die Münter zeit-
lebens ein besonderes Anliegen war: »Ist doch die Zeichnung an sich schon deutlicher
Verwandlung der Wirklichkeit. Sie hebt das Wesentliche freier aus der Masse der Eindrücke ab und stellt es schärfer hin, kurz, sie ist abstrakter in der Aussage.«[46]

1 Gabriele Münter, Bekenntnisse und Erinnerungen, in: Gustav F. Hartlaub, Gabriele Münter. Menschenbilder in Zeichnungen, Berlin 1952, n. pag.

2 a.a.O.; Vgl. auch: Gabriele Münter über sich selbst, in: Das Kunstwerk 2, 1948, 7, S. 25, sowie: Edouard Roditi, Dialog mit Gabriele Münter, in: Deutsche Rundschau 86, 1960, S. 895 ff.

3 Eichner 1957, S. 37.

4 Wilhelm Michel, Münchner Graphik, Holzschnitt und Lithographie, in: Deutsche Kunst und Dekoration, Bd. 16, 1905, S. 448.

5 Die bisherige Annahme, Münter sei im Winter 1901/02, bzw. Anfang 1902 in die Phalanx-Schule eingetreten, muß eventuell etwas korrigiert werden. In einem Typoskript von Johannes Eichner, das sich im Nachlaß Gabriele Münters erhalten hat und ihm zur Vorbereitung seines Buches von 1957 diente, heißt es: »1) Ostern 1901 bis Ostern 1902 in der Schule des Künstlerinnen Vereins in München (Kopf- und Aktzeichnen, namentlich bei Angelo Jank). 2) Seit Sommer 1902 in der Münchner Phalanx-Schule: kurze Zeit Modellieren bei Wilhelm Hüsgen; Aktzeichnen, Stilleben-, Kopf-, Landschaftsmalen bei Kandinsky.« (Gabriele Münter- und Johannes Eichner-Stiftung, München; im folgenden: GM-JE-St.) Da Münter bereits im Sommer 1902 zusammen mit der Malklasse Kandinskys in Kochel war, dürfte ihr Eintritt in die Schule auf die Zeit zwischen April und Juni 1902 präzisiert werden können.

6 zit. nach: Annegret Hoberg, Gabriele Münter in München und Murnau 1901–1914, in: München 1992/93, S. 28.

7 Gips, 8,7 x 6,5 cm, rückseitig bezeichnet: »GM. 02«, GM-JE-St.

8 Brief vom 16. April 1903, vollständig zitiert im Beitrag von Christina Schüler in diesem Katalog, S. 27

9 Zit. nach Kleine 1990, S. 705; vollständig zitiert im Beitrag von Christina Schüler in diesem Katalog, S. 28

10 Auch in Münters eigenem, weiter unten beschriebenen »Hauskatalog« sind diese Graphiken als früheste der Pariser Zeit unter den ersten Nummern aufgeführt.

11 Michel 1905, S. 449

12 In der VIII. Phalanx-Ausstellung waren unter anderem neben Werken von Carl Strathmann 32 Graphiken ihres ersten Lehrers Heinrich Wolff zu sehen, »ferner lag die von Julius Meier-Graefe herausgegebene Mappe Germinal mit Lithographien und Holzschnitten deutscher und französischer Künstler, darunter Bonnard, Degas, van Gogh, Renoir, Liebermann und Vuillard auf«. Die X. und XI. Phalanx-Ausstellungen fanden gleichzeitig statt, »im eigenen Lokal die eine, bei Hugo Helbing in der Wagmüllerstraße die andere«. Die erstgenannte zeigte eine große Kollektion französischer Neoimpressionisten. »In der Ausstellung bei Helbing erschienen Werke jüngerer und allerjüngster Münchner Graphiker [darunter auch von Kandinsky] und zwar in einzelnen Sonderveranstaltungen der Vereinigung graphischer Künstler, des Künstlerinnen-Vereins und der Schule für zeichnende Künste.« (Roethel 1970, S. 433, 434).

13 Zu diesen Spezialwasserfarben zum Drucken von Holz- und Linolschnitten, die Kandinsky erst ab 1908 mit seinem berühmten Holzschnitt Bogenschützen zugunsten der üblichen Fettfarben wechselte, s.a. Roethel 1970, S. XXVI

14 Eine erste Ausstellungsmöglichkeit hatte Münter im Frühjahr 1907 auf dem Salon des Indépendants, wo sie sechs ihrer nachimpressionistischen Spachtelstudien in Öl zeigte. Eventuell hat sie dann auf den beiden großen jury-freien Pariser Ausstellungen der Indépendants und des Automne ab Herbst 1907 und 1908 auch deshalb lediglich Druckgraphik ausgestellt, weil ihre Spachtelstudien im Frühjahr 1907 durch einen deutschen Rezensenten eine herbe Kritik erfahren hat-

ten: »Viel Mut und wenig Können zeigt Gabriele Münter in ihren Studien aus der Pariser Umgebung; sie malt Sèvres, Saint Cloud, Bellevue ohne einen Hauch individueller Wiedergabe.« (GM-JE-St., Presse-Archiv). Ganz im Gegenteil dazu erfuhren ihre Gemälde auf der umfangreichen Ausstellung in der Kölner Galerie Lenoble im Januar 1908 sehr positive Besprechungen in der Rheinischen Zeitung und im Kölner Tagblatt.

15 Die Drucke müssen aber auch bereits vor dem 20. März 1908, dem Eröffnungsdatum des Salon des Indépendants, fertig gewesen sein. Zu Münters Spielzeugserie und Friedels Bilderbuch s.a.: Gisela Kleine, Gabriele Münter und die Kinderwelt, Frankfurt 1997.

16 Ferner Wäsche am Strand, Marabout, Kandinsky am Harmonium und Häuschen Bellevue.

17 Kandinsky gehörte 1904 neben u.a. Alexej Jawlensky und Käthe Kollwitz zu den Gründungsmitgliedern des zugehörigen Künstlerkreises »Groupe d'Art des Tendances Nouvelles«, s. dazu grundsätzlich Fineberg 1984, S. 59ff.

18 Für die Bilder Kleine Holländerin und Kind mit Puppe griff Münter erneut auf bereits vier Jahre zuvor gezeichnete Motive zurück, die sie in allen Einzelheiten in die Druckgraphik übertrug.

19 »Madame Münter est son élève. Elle s'affirme le genre réaliste. Le bois de la gosse au poupard [damit ist das pausbäckige Kind mit Flasche auf der Ausstellung gemeint] s'inscrit en taches qui se balancent d'une façon décisive. Son parti-pris de taille est simple et osé.« Dazu, »dans un genre plus délicat«, gäbe es »à côté, des croquis de femme d'une vérité cruelle, comme seule les femmes savent la dire.« [damit wird auf die eingestreuten Illustrationen der weiblichen Köpfe von Im Café I und Im Café II mit ihren feinen, scharfgezeichneten Linien angespielt]. Zu einer weiteren Kritik Henri Breuils s. den Aufsatz von Christina Schüler in diesem Katalog, S. 27ff.

20 Da diese nicht bei Helms 1967 erfaßte Druckgraphik auch nicht – wie alle sonstigen Blätter von Münters Œuvre – in einem einzigen Exemplar in ihrem Nachlaß erhalten oder dokumentiert ist, haben wir uns entschlossen, sie hier vorzustellen, jedoch nicht unter die 88 Nummern des Werkkataloges aufzunehmen.

21 Die häufig zu lesende Behauptung, Münter habe diesen Kurs direkt bei Théophile Steinlen besucht, läßt sich an den vorhandenen Quellen nicht verifizieren, vielmehr scheint es wahrscheinlich, daß dieser Kurs (»ohne Korrektur«) bisweilen von dem berühmten Zeichner und Plakatkünstler zur Durchsicht besucht worden ist. Auch Münters eigene Äußerung deutet darauf hin: »Als ich in Paris ein paar Wochen in der ›Grande Chaumière‹ arbeitete, sah T. A. Steinlen, der vielgenannte Graphiker und Meister, mein Skizzenbuch aufmerksam durch und sagte dann: ›Avec ce dessin vous pouvez arriver à des choses très élevées‹.« (zit. nach Hartlaub 1952, n. pag.)

22 Diese 24 Farbdrucke umfassen die 19 »Pariser« Schnitte einschließlich solcher wie Kind mit Flasche und Rosengärtchen (für dieses bislang nicht gezeigte Blatt setzt die Ausstellung im Mai 1908 ebenfalls einen »terminus ante quem«), sowie die sechs genannten Berliner Drucke der Schlafenden Friedel und ihres Spielzeugs.

23 Der Kunstsalon Lenoble in Köln hatte, wie in Anm. 14 erwähnt, bereits vom 28.12.1907–24.1.1908 eine umfangreiche Ausstellung von über 80 frühen Ölbildern Gabriele Münters gezeigt. Der Kontakt mit dem Kunsthändler Lenoble war vermutlich durch Münters in Bonn lebenden Bruder Carl zustande gekommen (s.a. Christina Schüler, Untersuchungen zur Druckgraphik bei Gabriele Münter. Masch. Magisterarbeit, Rheinische Friedrich-Wilhelms-Universität Bonn, 1999, S. 60).

24 S. dazu München 1992/93; ferner: Helmut Friedel / Annegret Hoberg, Der Blaue Reiter im Lenbachhaus

München, München 2000, sowie: Ausst.Kat. Der Blaue Reiter, Hrsg. von Christine Hopfengart, Kunsthalle Bremen, März – Juni 2000.

25 Ausführlich dazu Ausst.Kat. Der Blaue Reiter und das Neue Bild. Von der Neuen Künstlervereinigung München zum Blauen Reiter, Hrsg. von Annegret Hoberg u. Helmut Friedel, Städtische Galerie im Lenbachhaus, München, Juli-Oktober 1999.

26 *Park, Häuschen, Alte, Brücke, Uncle Sam, Tünnes, Gespräch, Puppenwagen, Schlafendes Kind.*

27 GM-JE-Stiftung, Presse-Archiv. Mit »inneren Erlebnissen« hebt der Kritiker auf die Formulierung Kandinskys im Katalogvorwort ab, die Künstler der NKVM wollten nicht nur die »Eindrücke der äußeren Welt«, sondern auch die »einer inneren Welt« zum Ausdruck bringen.

28 Hermann Eßwein, in: Münchner Post, 10.XII.1909, zit. nach Presse-Mappe 1909 Städtische Galerie im Lenbachhaus, Kubin-Archiv. Teilweise abgedruckt auch bei: Andreas Hüneke, Der Blaue Reiter, Dokumente einer geistigen Bewegung, Leipzig 1991, S. 21.

29 Kritik vom 23.9.1910, GM-JE-St., Presse-Archiv.

30 Vorbereitet wurde diese Einschätzung bereits durch die Diktion von Johannes Eichner 1957: »In Paris, vielleicht erst gegen Ende des Aufenthaltes, im Winter 1906/07, gewiß nicht zufällig zu einer Zeit, da die impressionistische Malweise ihr zu eng wurde, wandte sie sich erfolgreich dem Farbenholzschnitt zu.« Hier fand sie, was sie in den Spachtelstudien noch nicht zu gestalten vermochte, »einfache, klare Flächen und zeichnerisch bestimmte Umrisse.«(a.a.O., S.49)

31 In Münters »Hauskatalog«, der leider um 1911 abbricht, sind die *Neujahrsholzschnitte 1909, 1910* und *1911* als letzte Nummern (Nr. 26, 27, 28) aufgeführt, bei *Neujahrsholzschnitt 1909* steht ihr eigenhändiger Eintrag: »Maschinendruck. bei Prantl verkauft«, bei dem von 1910 »bei Schmidt Bertsch ein Teil verkauft«, und bei 1911 »bei Schmidt Bertsch netto 50 Pf. Verk. 1 M.«

32 Der im Katalog von Sabine Helms 1967 auf »um 1913« datierte Holzschnitt der *Heuhaufen* wird in unserem Werkkatalog aufgrund verschiedener Anhaltspunkte unter »um 1910/11« eingereiht. Diese Datierung vertritt auch Brigitte Salmen in ihrem Katalogbeitag, S.54. In Münters eigenem »Hauskatalog« erscheint *Strohhaufen* unter Nr.25, vor den *Neujahrsholzschnitten*, und, getrennt durch einen Strich von den – allerdings nicht in systematischer Reihenfolge – aufgeführten »Pariser« Drucken, zuletzt Nr.23 *Rosengärtchen* und Nr.24 *Weg.*

33 Kandinsky war in diesen Jahren bereits im Herbst 1910 für zwei Monate in Rußland gewesen, auf seiner Station in Berlin 1912 sprach er unter anderem mit Walden seine eigene, erste Einzelausstellung ab, die im Dezember 1912 in der Sturm-Galerie gezeigt wurde.

34 Brief GM-JE-St. In diesen Tagen war der Handel mit Walden auf allen Ebenen perfekt gemacht worden, am Vorabend war Walden mit Franz und Maria Marc noch einmal zum Essen gekommen und bot die »Collectiv«-Ausstellung an. »Es kommt Januar in den Sturm.« »Also ich laße mich durch Walden vertreten«, was tatsächlich bis in die Nachkriegsjahre geschah.

35 Brief GM-JE-St.

36 Elfte Sturm-Ausstellung. G. Münter. 84 Gemälde, Januar 1913. Die Ausstellung wanderte über Frankfurt weiter nach München (Neuer Kunstsalon Max Dietzel), Dresden (Galerie Emil Richter) und Stuttgart (Neuer Kunstsalon am Neckartor).

37 Kat.Nr. 195 des Ausstellungskatalogs 1912; die Zeichnung im Besitz des Lenbachhauses trägt rückseitig zudem ein Ektikett der 2. Blauen Reiter-Ausstellung mit dieser Nummer, *Blumengießen* Kat.Nr. 191. Auf der 2. Blauen Reiter-Ausstellung zeigte Münter ausschließlich Originalgraphik, das heißt keinen ihrer Drucke. Vermutlich sind auch die beiden als *Skizze* im Ausstellungskatalog aufgeführten Werke Münters mit den hier gezeigten Tuschfeder-Skizzen zu *Bauarbeit* identisch, da sie auch auf der Ausstellung des Modernen Bunds in Zürich im Sommer 1912 ausgestellt waren.

38 S. auch Roethel 1970, XI; ebenso: Heinrich Campendonk. Das Graphische Werk. Nach Engels neu bearbeitet von Gerhard Söhn, Düsseldorf 1996, S.13. Am 11. November 1912 schrieb Walden an Gabriele Münter: »Wenn Sie mir die Holzstöcke schicken wollen, verspreche ich Ihnen, sie Ihnen unverzüglich nach Druck wieder zuzustellen, sodass Sie sie weiter gebrauchen können.« GM-JE-St.

39 Für die Werbung ihrer Einzelaustellung bei Max Dietzel 1913 stellte sie dieses Element auch in den Plakatentwürfen geradezu als ein Markenzeichen ihrer Kunst heraus, vgl. Annegret Hoberg, Gabriele Münter in München und Murnau 1901-1914, in: München 1992/93, S. 41

40 S. dazu u.a.: Annika Öhrner, Ich lebte im Prophetenstand – jetzt bin ich Weltkind geworden, in: München 1992/93, S. 67ff; Annegret Hoberg, Sigrid Hjertén und Gabriele Münter, in: Ausst.Kat.Sigrid Hjertén – Wegbereiterin des schwedischen Expressionismus, Städtische Galerie im Lenbachhaus, München/ Käthe-Kollwitz-Museum, Berlin/ Boras Konstmuseum, Boras, 1999/2000, S. 41ff.

41 »Er nannte die Blätter, einem Vorschlag Gabriele Münters folgend, ›Bagatellen‹.«(Eichner 1957, S. 175)

42 Der Katalog weist zwar als letzte Nummer »Träsnitt« (Holzschnitte) auf, doch keine Radierungen.

43 Walter Koschatzky, Die Kunst der Graphik. Technik, Geschichte, Meisterwerke, München, 12. Aufl. 1997, S. 181f.

44 Gabriele Münter, Bekenntnisse und Erinnerungen, in: Hartlaub 1952, n. pag.

45 »Die Gemälde entstanden (und entstehen) so, daß sie schon in ihren Anfängen ein befriedigendes Bild ergeben. Die Malerin setzt gleiche Farben an verschiedene Stellen, und es kommt darauf an, daß sie gut auf der Bildfläche verteilt sind. Manchmal sind das bloß die schwarzen Umrisse und schwarzen Schatten.« (Eichner 1957, S. 185).

46 Gabriele Münter, Bekenntnisse und Erinnerungen, in: Hartlaub 1952, n. pag.

Christina Schüler

Nachahmung oder Autonomie?
Überlegungen zur frühen Druckgraphik und
Drucktechnik Gabriele Münters

Seit Eichner besteht in der Forschung die Annahme, daß Kandinsky vor Münter begann, Holzschnitte anzufertigen und er Münter dazu antrieb, selbst in Holz zu schneiden. Eichner schreibt: »Spät in der Studienzeit bekam der Holzschnitt in der Arbeit Gabriele Münters eine ausgezeichnete Stelle, schon anfangs hatte er sie gelockt und dann und wann in den nächsten Jahren beschäftigt. Kandinsky stellte ihr meisterliche Beispiele dieser Kunst vor Augen. In Paris [...] im Winter 1906/07 [...] wandte sie sich erfolgreich dem Farbholzschnitt zu. [...] Kandinskys Holzschnitte waren ›interessant‹ [...] Gabriele Münters Holzschnitte blieben dagegen herzlich einfach und bescheiden. Sie strengte sich nicht an, es ihrem Meister nachzutun.«[1] Kleine schmückt diesen Mythos in ihrer Biographie weiter aus: »Sie teilte Kandinsky beschwichtigend mit, daß sie sich ihm zuliebe mit dem Holzschnitt beschäftige. [...] Bisher hatte sich immer gegen diese mittelbare und sorgsam zu planende Technik gewandt, auch, weil sie zum Schneiden des Stockes zu wenig Geduld aufbrachte. [...] Er [Kandinsky] riet Ella [Münter], durch die Holzschnitt-Technik von der Raumillusion ihrer impressionistischen Bilder weg- und zur Flächenwirkung hinzukommen und aus dem perspektivisch gestaffelten Hintereinander des die Natur imitierenden Bildaufbaus ein frei gestaltetes Nebeneinander zu schaffen.«[2]

Zur Prüfung dieser Behauptungen ist es ratsam, sich folgende Fragen zu stellen: Wann begann Münter mit dem Holzschneiden, wann fertigte Kandinsky seinen ersten Holzschnitt? Kandinsky war von Anfang 1902 bis zum Kallmünzer Sommerkurs 1903 in der Phalanx-Schule Lehrer Münters, die von ihm dort vor allem die Technik der Spachtelmalerei in nachimpressionistischer Manier erlernte. Doch war Kandinsky tatsächlich auch der Lehrer und »Meister«, der seiner Schülerin das Holzschneiden beibrachte? Beschäftigte sich Münter wirklich nur Kandinsky zuliebe mit dieser druckgraphischen Technik? Sind sich die frühen Holzschnitte Münters und Kandinskys so ähnlich wie die zeitgleich entstandenen Gemälde der beiden Künstler?

Der Briefwechsel zwischen Münter und Kandinsky ist in dieser Hinsicht sehr aufschlußreich. Zuerst schrieb Kandinsky am 16. April 1903 aus Wien vom Holzschneiden : »Du, was meinst du vom Holzschnitt? Interessiert es dich? Willst du nicht versuchen? Es ist wirklich was feines. Jah! Die Anstrengung muß aber ziemlich groß sein, viel zu groß für die kleine, arme (faule) Ella!« Es ist das erste Mal, daß in den erhaltenen Briefen überhaupt vom Holzschneiden die Rede ist. Ob Kandinsky zu diesem Zeitpunkt schon druckgraphische Blätter anfertigt, geht aus der Briefstelle allerdings nicht hervor. Kandinsky hatte die XVII. Ausstellung der Wiener Secession, in der u.a. Holzschnitte von Elena Luksch-Makowsky, Emil Orlik, Carl Müller und Anton Novak zu sehen waren, besucht und sich für die Arbeiten begeistert.[3]

Die Datierungen der ersten Holzschnitte Kandinskys sind nicht eindeutig. Es existiert zwar ein Hauskatalog, doch nach Will Grohmann und Hans Konrad Röthel ist dieser unsystematisch und unchronologisch und kommt zudem ohne Datierungen aus, so daß nur eine relative Chronologie möglich ist.[4] Röthel übernahm in seinem Werkverzeichnis die Reihenfolge des Hauskatalogs und setzte den ersten Holzschnitt in das Jahr 1902. Er stützte sich dabei auch auf das 1933 veröffentlichte Verzeichnis von Grohmann, das mit Hilfe Kandinskys erstellt worden war.[5] Allerdings sagte Grohmann selbst, daß die Chronologie nicht ganz sicher sei.[6] Dies drückt sich auch durch die ungefähre Datierung der frühesten Holzschnitte auf »1902–03« aus. Daß der angeblich erste Holzschnitt Kandinskys, *Promenade*, 1902 entstanden sei, wird allgemein angenommen, kann aber nicht belegt werden.

Maria Giesler, Schülerin Kandinskys in der Phalanx-Schule, nahm an dem Sommermalkurs in Kallmünz teil und schrieb 1945 rückblickend, daß Kandinsky in Kallmünz »gleich 70 Platten hintereinander schnitt, man sagte, Tag und Nacht, bis er Holzschneiden konnte. Beim Drucken halfen wir manchmal. Dieses Drucken mit verschiedenen Farbplatten übereinander erforderte ein großes Können, viel Zeit und Geschicklichkeit. Von 10 Drucken geriet meist nur einer.«[7] Aufgrund dieser Aussage scheint es wenig wahrscheinlich, daß Kandinskys erste Holzschnitte bereits 1902 entstanden. 1895 leitete er nach seiner Ausbildung als Jurist zwar kurz die Druckerei Kusnerev in Moskau und erwarb hier Kenntnisse in der Fertigung von Druckplatten und in der Wahl des Papiers.[8] Doch zu diesem Zeitpunkt ist er noch nicht selbst künstlerisch tätig. Nach Aussage Gieslers fängt er erst während des Kallmünzer Aufenthalts an, sich autodidaktisch mit der Holzschnittechnik auseinanderzusetzen. Einen Kurs, um druckgraphische Techniken zu erlernen, belegte er nie. Münter hingegen besuchte schon 1902 einen Holzschnittkurs in der Wolff-Neumann-Schule, beschäftigte sich also bereits ein Jahr früher künstlerisch mit dem Holzschnitt. Meines Erachtens entstand dort ihr erster Holzschnitt *Weiblicher Kopf* (Kat. 1).[9]

Ob Münter in Kallmünz selbst Druckstöcke anfertigte, ist unklar. Vielleicht war sie auch mit dem gemeinschaftlichen Drucken der Malklasse von Kandinskys Holzstöcken so beschäftigt, daß sie nicht dazu kam, eigene Stöcke zu schneiden. Doch zumindest die ersten Skizzen für Holzschnitte entstanden während des Aufenthalts in Kallmünz, was die Holzschnitte mit Kallmünzer Motiven von 1903 belegen. Nach diesem Sommerkurs fuhr Münter Ende August zu ihren Geschwistern nach Bonn, wo sie bis November blieb. Vom November, nach ihrer Rückkehr nach München in ein eigenes Atelier, stammt auch der erste schriftliche Beleg, daß Münter an den Kallmünzer Holzschnitten arbeitete. Kandinsky schrieb am 22. November 1903 an Münter. »Dann möchte ich am Bilde weiter arbeiten und wissen, daß du auch da bist und Holzschnitt machst.«

Diesen Überlegungen zufolge begann Kandinsky also während des Sommeraufenthaltes in Kallmünz von Juni bis August 1903 erstmals, sich künstlerisch mit dem Holzschneiden auseinanderzusetzen. Münter widmete sich bereits ein Jahr zuvor in ihrem Holzschnittkurs der Wolff-Neumann-Schule dieser druckgraphischen Technik. Diesen Kurs besuchte sie aus Interesse an der Holzschnittechnik und an der künstlerischen Arbeit der beiden Graphiker Ernst Neumann und Heinrich Wolff. Das Holzschneiden erlernte Münter also nicht von Kandinsky. 1903 arbeitete sie während bzw. nach dem Kallmünzer Aufenthalt intensiv an ihren Holzschnitten. Beide, Münter und Kandinsky, besaßen also zu diesem Zeitpunkt schon Vorkenntnisse in dieser Drucktechnik – Münter jedoch sowohl in künstlerischer und technischer Hinsicht durch den Holzschnittkurs, Kandinsky eher in drucktechnischer Hinsicht durch seine Tätigkeit in der Moskauer Druckerei. Doch sie befanden sich ab Sommer 1903 noch in einer Art Experimentierphase, was die Äußerungen Gieslers und weitere Briefstellen bezeugen. Wenn überhaupt, kann demnach nur gefragt werden, ob Münter sich 1903 Kandinsky zuliebe erneut und zum zweiten Mal mit dem Holzschneiden auseinandersetzte.

Der zitierte Brief Kandinskys vom 16. April 1903 aus Wien legt die Vermutung nahe, daß Kandinsky die Idee hatte, angeregt durch den Besuch der Secessions-Ausstellung, den Holzschnitt erst einmal für sich selbst zu erlernen. Ob nun Kandinsky damit Münter tatsächlich erneut zum Holzschneiden inspirierte, oder sie selbst durch das Betrachten von Holzschnitten in Zeitschriften, Ausstellungen und auf Plakaten diese Technik aufgriff, ist heute nicht mehr exakt zu ermitteln. Entscheidend ist jedoch, ob Münter wirklich versuchte, »es ihrem Meister nachzutun« oder nicht, ob sie in technischer und künstlerischer Hinsicht Kandinsky nachzuahmen versuchte oder von Beginn an eine eigene Formensprache fand. Ein Vergleich von Münters Holzschnitten mit Kandinskys Arbeiten soll dies klären. Doch auch in den Briefen der beiden finden sich bereits Hinweise dazu.

Die Experimentierfreudigkeit Münters bezüglich des Druckens ihrer Holz- und Linolschnitte belegen weitere Äußerungen in ihrem Briefwechsel mit Kandinsky, in denen sich Münter ausgiebig über ihren Arbeitseifer und die technischen Schwierigkeiten und Mühen des Druckens äußerte. Am 19. Dezember 1903 schrieb sie: »Heute Vormittag noch an den Stöcken geschnitten und Nachmittag bis Dunkel werden 3 Mond-Drucke gemacht und den Ofen ausgehen lassen vor Eifer. [...] Und als ich heute aufgehört hatte, dachte ich, ich will nicht mehr Holzschnitte machen, was soll ich mich plagen mit dem Ausfinden von Sachen und Zeit damit verlieren, was andere längst ausgefunden haben. Ich komme allmählich näher darauf, wie man die Farbe nehmen muß... Warum hast du mir davon nichts gesagt? [...] Mein Vormittag war nicht sehr lange heute. Pinnte die Drucke an die Tür zum Kritisieren. [...] Und ich will nächstens einen Druck probieren, grünblau Himmel – Häuser dasselbe mit etwas rot vielleicht Idee Terra di Siena.« Anfang 1904 verlieh sie ihrem Tatendrang abermals Ausdruck: »Ich konnte es nicht lassen, und habe mir nach Tisch heute neues Bindemittel gemacht.« Von diesem Bindemittel ist in einer Bleistiftnotiz von Mitte Januar 1904 wieder die Rede: »Und wenn jemand abends kommt, wenn das Licht oder Musik mein Dasein verrät – dann schicken wir den Besuch bald, indem ich vom Holzschnitt und dem geheimen Bindemittel anfange, was wir noch besprechen müssen – fein, gelt!« Diese Äußerungen Münters belegen, daß sie sich intensiv und selbstständig mit der Holzschnittechnik beschäftigte. Sie experimentierte mit der Zusammensetzung der Farben, mit dem »geheimen« Bindemittel und mit verschiedenen Farbzusammenstellungen. Sie beklagte sich zwar über den schwierigen Druckvorgang, doch wehrte sie sich in keiner Weise gegen das Holzschneiden, sondern setzte sich im Gegenteil eingehend mit dieser druckgraphischen Technik auseinander.

Über die Schwierigkeit, die richtige Konsistenz der Farben zu finden, beschwerte sie sich bei Kandinsky: »Warum hast Du mir darüber nichts gesagt?« Kandinsky dozierte in seinen Briefen nicht über den komplizierten Druckvorgang und die Schwierigkeit der Farbzusammensetzung, sondern Münter versuchte auf sich selbst gestellt, die Holzschnittechnik zu vervollkommnen. Wie Münter hatte auch Kandinsky anfangs Schwierigkeiten mit dem komplizierten und aufwendigen Drucken der Holzstöcke bzw. Linolplatten, obwohl er dies nicht so ausdrücklich erwähnte wie sie. In einem seiner Briefe an Münter vom 10. Februar 1904 findet sich der Satz: »Komme Morgen zu dir mit starkem Herzklopfen und nicht wegen der Treppentour, sondern weil ich auch heute keinen anständigen Druck fertiggebracht habe.« Ganz deutlich beschreibt ja auch Maria Giesler die anfänglichen Schwierigkeiten Kandinskys beim Drucken seiner Holzstöcke. Gelegentlich druckte das Künstlerpaar auch gemeinsam. Münter schrieb am 25. Dezember 1903: »Einen Tag kommst du früh und wir drucken.«

In drucktechnischer Hinsicht ging Münter eigene Wege. Anstelle der seit dem Mittelalter in Deutschland verwendeten Fettfarben benutzte sie spezielle Wasserfarben, sogenannte Japanaqua. Seit der Weltausstellung 1862 in Paris und 1867 in London waren die japanischen Holzschnitte in Europa bekannt und wurden zuerst von französischen Künstlern wie Monet, Degas, Toulouse-Lautrec und den Nabis wie Bonnard und Vuillard gesammelt und rezipiert, die ihrerseits neben der japanischen Originalgraphik die deutschen Expressionisten inspirierten. Noch nach 1908, als z.B. Kandinsky und später Franz Marc begannen, mit Fettfarben zu drucken, fertigte Münter ihren einzigen nach 1908 entstandenen Farbdruck *Heuhaufen* (Kat. 39) mit diesen besonderen Aquarellfarben. Ihre Farben, die man schon fertig als Japanaqua kaufen konnte,[10] bereitete Münter jedoch selbst zu. Am 19. Dezember 1903 schrieb sie an Kandinsky: »Habe heute Vormittag Farben gerieben und gemischt und gedruckt bis es zu dunkel war und in der ganzen Zeit nur 3 Drucke fertig gebracht. 2 Std. Einen schlechten vom Dorf und einen noch schlechteren von den Steinen und dann noch einen ganz schlechten von den Steinen.« Münter spricht hier von ihren ersten Farbholzschnitten *Motiv bei Kallmünz* (Kat. 3) und *Nächtliches Dorf* (Kat. 4).

Münter benutzte für ihre Drucke besonders saugfähiges, leicht angefeuchtetes Japanpapier oder Bütten.[11] Für ihre sogenannten echten Farbdrucke schnitt sie zuerst den Konturenstock und anschließend einen oder mehrere Stöcke für die Farben, die dann in einer bestimmten Reihenfolge neben oder übereinander gedruckt werden. Dabei muß nicht jede Farbe wie beim traditionellen deutschen Holzschnitt ihren eigenen Stock haben, sondern es können, wie auch beim japanischen Holzschnitt, verschiedene Farben von einem Stock gedruckt werden. Zum Beispiel sind für den Holzschnitt *Brücke in Chartres* (Abb. 1, Kat. 19), auf dem bis zu sechs Farben zu sehen sind, nach Helms nur drei Linolstöcke vorhanden.[12] Anfang 1904 äußert sich Münter in einem Brief an Kandinsky: »Habe heute Abend auf der Rückseite die unvermeidliche dritte Platte geschnitten. Es geht nicht, daß die Steine dieselbe Farbe mit dem Himmel haben.«[13] Der Konturenstock kann wie bei *Rosengärtchen* (Kat. 30) auch einmal wegfallen oder wie bei *Wäsche am Strand* (Abb. 2, Kat. 29) sowohl die Umriß- bzw. Binnenlinien als auch Flächen einfärben. Der Farbholz- bzw. Linolschnitt ist technisch besonders schwierig, da ein exaktes Anpassen der verschiedenen Druckplatten wegen Schrumpfens des feuchten Papiers kaum möglich ist. Auch ist es äußerst diffizil, die richtige Konsistenz der Farben zu ermitteln, damit eine ebenmäßige Verteilung auf dem Papier stattfinden kann. Münter sprach von diesem Problem: »Ich komme allmählich näher darauf, wie man die Farbe nehmen muß, dass sie gleichmäßig dünn ins Papier einzieht und nicht so klumpenweise dick darauf liegt wie das bis jetzt immer bei mir war ... Mit dicker Farbe muß übereinander Drucken immer Schweinerei werden. Also dünne Farbe – aber wie?«[14] Durch das Aufeinanderdrucken von verschiedenen Farben entstehen manchmal Zwischentöne und somit besondere malerische Effekte wie z.B. bei *Herbstabend – Sèvres* (Abb. 3, Kat. 13), *Weg* (Kat. 17) oder *Brücke in Chartres*. Diese Art des Druckens ist den japanischen Farbholzschnitten entlehnt, die durch das saugfähige, edle Papier und durch die Abtönung der Wasserfarben einzigartige Effekte erzielen.

Münter druckte fast alle Blätter im kräfteraubenden und zeitaufwendigen Handruckverfahren.[15] Anfang 1904 schrieb sie Kandinsky: »Übrigens mache ich meine guten Drucke immer aus freier Hand – Rand auf Rand.« Nur Abzüge für Zeitschriften oder Plakate für ihre Ausstellungen ließ sie maschinell herstellen. Im schon oben zitierten Brief vom 31. Dezember 1903 beklagte sie sich auch über das umständliche Handdruckverfahren: »Das nächste Mal lasse ich Umdruck in der Druckerei machen und

1 Gabriele Münter, *Brücke in Chartres*, 1907 (Kat. 19)

2 Gabriele Münter, *Wäsche am Strand*, 1907 – 08 (Kat. 29)

3 Gabriele Münter, *Herbstabend – Sèvres*, 1907 (Kat. 13)

lasse überhaupt Maschinen drucken – die Sache verbraucht mir sonst zu viel Zeit, in der ich was Nützliches tun kann.« Münter hielt jedoch am Handdruck fest, da dieser im Gegensatz zum Maschinendruck künstlerisch differenziertere Möglichkeiten bietet. Die Platten bzw. Stöcke lassen sich nämlich je nach Wunsch stärker oder schwächer auf das Papier drücken, so daß unterschiedlich dichte Farbstrukturen erzielt werden können. Münter gelangte zu einer außerordentlichen Perfektion ihrer Farbdrucke. Durch das Übereinanderdrucken der transparenten Aquarellfarben konnte Münter dekorative Farbharmonien schaffen, die gleichzeitig auch Stimmungen bzw. Jahreszeiten wie bei *Herbstabend – Sèvres* auszudrücken vermögen.

Neben den Holzstöcken verwendete Münter auch Linolplatten. 1906 schnitt sie in Paris ihren ersten Linolschnitt *Kandinsky* (Kat. 6). Sie gehört somit zu den Pionierinnen des farbigen Linolschnitts. Nur drei Jahre zuvor hatten Künstler in Deutschland begonnen, mit Linoleum zu experimentieren: 1903 fertigte Erich Heckel seinen ersten Linolschnitt *Kniende in Landschaft* und ein Jahr später folgte Ernst Ludwig Kirchner mit seinem farbigen Linolschnitt *Burg bei Chemnitz*.[16]

Linoleum, eine englische Erfindung aus Leinöl, Harzen, Holz- und Korkmehl,[17] ist als künstlerisches Material nicht unproblematisch, da es mit vielen negativen Werturteilen besetzt ist. Zum einen wird Linoleum seit seiner Erfindung in der Mitte des 19. Jahrhunderts in erster Linie als industriell hergestellter Ersatzstoff für wertvollere Materialien in der Raumgestaltung eingesetzt.[18] Es dient als Surrogat für Holz, Marmor, Teppiche etc. Linoleum wird somit im Vergleich zu anderen, natürlichen Materialien wie Holz von vornherein als billig, unnatürlich und somit minderwertig betrachtet.[19] Der Einsatz im Kunstgewerbe und die unnatürliche Materialbeschaffenheit verstärken die Ablehnung auch in avantgardistischen Künstlerkreisen. Zum anderen ist der Linolschnitt seit den 90er Jahren des 19. Jahrhunderts durch Franz Cizek ein beliebtes Gestaltungsmittel im Kunstunterricht.[20] Wenn die Bearbeitung des Linoleums so leicht ist, daß sogar Kinder darin schneiden können, so scheint es für den »wahren« Künstler keine Herausforderung zu sein, sich mit diesem leicht zu bearbeitenden Material zu befassen. Der Linolschnitt galt zu dieser Zeit als unkünstlerisch und eher dem Kunsthandwerk und der Kunstpädagogik verpflichtet. Münter deklarierte ihre Linolschnitte deshalb als Holzschnitte, denn es ist für den Betrachter im Nachhinein sehr schwierig, von einem Abzug zu entscheiden, ob er von einem Holzstock oder von einer Linolplatte stammt. In Münters Nachlaß sind allerdings viele Linolplatten und Holzstöcke erhalten, so daß man das jeweilige Hochdruckverfahren in den meisten Fällen eindeutig bestimmen kann.

Die dem Holzschnitt immanenten Eigenschaften sowie die Spuren der Bearbeitung, die etwa die Brücke-Künstler oder auch Edvard Munch als wesentliches Gestaltungsprinzip beim Holzschnitt betrachten, interessierten Münter kaum. Bei ihren Holzschnitten ist weder die Maserung des Holzes sichtbar, noch betonte sie durch scharfkantige oder schroff brechende Linienstege den Widerstand des Materials. Sie behandelte den Holzschnitt als homogene Fläche, wobei Spuren ihres handwerklichen Arbeitens beinahe unsichtbar bleiben. Die Bearbeitung des Linoleums wird durch seine weiche Materialbeschaffenheit erleichtert. Es muß kein Faserverlauf berücksichtigt werden, so daß in jede Richtung problemlos geschnitten werden kann. Außerdem muß man Linoleum nicht wie Holz, das ohne Wässern die Wasserfarben aufsaugen würde, vor jedem Druck präparieren.[21] Die Oberfläche des Linoleums kann von glatt bis sehr körnig beschaffen sein. Die körnige Struktur ist bei einigen Farblinolschnitten Münters sichtbar. Bei *Marabout* (Kat. 14) sind Himmel und Vordergrund durch unterschiedlich dichte Strukturmuster gekennzeichnet.

Münter unterschied also künstlerisch wenig zwischen den Materialien Holz und Linoleum. Sie kennzeichnete keinen ihrer Linolschnitte als solchen. Das industriell gefertigte Material verwendete sie wohl hauptsächlich aufgrund der einfacheren Bearbeitung und wohl auch aus ökonomischen Gründen. Die etwas leichtere technische Handhabung des Linolschnitts beeinträchtigt jedoch die künstlerische Qualität im Vergleich zum Holzschnitt in keiner Weise.

Auch in technischer Hinsicht experimentierte Münter eigenständig mit dem Material. Einige Gemeinsamkeiten hinsichtlich des Druckverfahrens lassen sich zwischen den Holz- und Linolschnitten Münters und Kandinskys finden, z.B. die Verwendung der Spezialwasserfarben und des Japanpapiers bis 1908.[22] Wie Münter, druckte Kandinsky manchmal eine Farbe, die in unterschiedlicher Dichte auf den Druckstock aufgetragen wurde, in verschiedenen Helligkeitsstufen wie z.B. das Rot in dem Farblinolschnitt *Der Jäger* (Abb.4), einem altrussischen Motiv, das auf die Märchen- und Sagenwelt Rußlands zurückgeht. Auch er war ein »besessener Experimentator« in bezug auf drucktechnische Fragen.[23] Im Gegensatz zu Münter praktizierte Kandinsky jedoch nicht das Übereinanderdrucken von unterschiedlichen Farben. Hingegen färbte er zum Teil seine Stöcke wie bei *Mondaufgang* (Abb.5) nach japanischer Methode monotypieartig ein, so daß er auf einen einzigen Stock verschiedene Farben auftrug, die nicht durch einen extra Konturenstock strukturiert wurden.

4 Wassily Kandinsky, *Der Jäger*, 1907, Farblinolschnitt

5 Wassily Kandinsky, *Mondaufgang*, 1904, Farbholzschnitt

6 Gabriele Münter, Skizze zu *Bauarbeit*, 1911/12,
Tuschfeder, Städtische Galerie im Lenbachhaus, München

7 Gabriele Münter, *Bauarbeit*, 1912 (Kat. 41)

Abgesehen von diesen wenigen drucktechnischen Gemeinsamkeiten unterscheiden
sich die frühen Holzschnitte Kandinskys formal und inhaltlich völlig von den Drucken
Münters. Münters druckgraphischen Blättern liegt ein festes, geschlossenes zeichnerisches Gerüst zugrunde. Durch die Betonung der Horizontalen bei vielen Pariser Holz-
und Linolschnitten wird die Festigkeit des Bildaufbaus noch unterstützt. Münters vollendeter Umgang mit dem Zeichenstift wird in ihrer Druckgraphik besonders deutlich.
Über ihre spezielle Gabe, die Dinge schnell in klaren Umrissen erfassen zu können,
schrieb sie selbst rückblickend, wobei sie sich auf den Kurs bei Maximilian Dasio in der
Damenakademie des Künstlerinnenvereins in München von 1901 bezog: »Die andere
[Studentin] tastete mit dem Stift vorsichtig auf dem Blatt herum, versuchte den Umriß
mit vielen kleinen Strichen, radierte das meiste wieder aus, und das Resultat war flau
und ungefähr. Das verfolgte ich mit Verwunderung. Dann zog ich auf meinem Blatt ein
paar Striche, und die Sache saß und war fertig.«[24] Die akademisch ausgeführte Zeichnung mit Schraffuren und Binnenkonturen, die Münter in Düsseldorf und in den Privatateliers in München erlernt hatte, lag ihrer charakteristischen Sehweise, die Dinge zu
verknappen, fern.

Seit ihrem Sommeraufenthalt in Kochel 1902 fertigte Münter Umrißzeichnungen
»nicht nur von Gegenständen, sondern auch von Farbausbreitungen und den Dunkelheitsstufen und gab die Farben durch Buchstaben, die Abschattungsgrade durch Ziffern
an«.[25] Diese Farbfeldskizzen verstärkten neben der reinen Umrißzeichnung noch das
Abstandnehmen vom Natureindruck. Die Farbe wurde als geschlossene Fläche betrachtet
und somit die vereinfachende Wahrnehmung systematisch von Münter vorangetrieben.

Starke Reduzierung und Komprimierung der Form sind wesentliche Merkmale
von Münters Druckgraphik. Manchmal geht der Abstraktionsgrad so weit, daß die
Gegenstände wie bei *Wäsche am Strand* gerade noch zu identifizieren sind. Das Weglassen von ihr überflüssig erscheinenden Details ist ein wesentliches Merkmal. Diese
Formreduzierung geschah jedoch keineswegs spontan oder unbewußt. Die zahlreichen Studien und Skizzen zu den Holz- und Linolschnitten bezeugen, daß sich Münter intensiv in vorbereitenden Entwürfen mit ihrem Motiv auseinandersetzte. Dabei ist
nicht immer wie bei *Wäsche am Strand* ein kontinuierliches Abstrahieren oder Reduzieren abzulesen. Manchmal ist wie bei den Studien zu *Bauarbeit* (Abb. 6) das erste
schnelle Erfassen des Motivs knapper und dynamischer als der ausgeführte Holzschnitt (Abb. 7, Kat. 41).

Ein weiteres Charakteristikum der Blätter ist ihre Flächigkeit. Die homogen eingefärbten Farbflächen werden oft durch einen umlaufenden Kontur geschlossen, ein Formmerkmal, das Münters expressionistische Gemälde nach dem Sommer 1908 auszeichnet. Auch die bewußte Begrenzung des Bildraumes trägt zur flächenhaften Wirkung bei.
Durch die Wahl eines eng gefaßten Bildausschnitts, der diese geringe Bildtiefe erzeugt,
wird nur ein begrenzter Blick auf das Motiv zugelassen. Meist wählte Münter wie bei
Herbstabend – Sèvres oder *Wäsche am Strand* die frontale Darstellung des Bildausschnitts,
wodurch eine Tiefenräumlichkeit von vornherein vermieden und der Bildraum
begrenzt wird. Daß diese Flächenhaftigkeit jedoch nicht nur rein technisch bedingt ist,
was Münter selbst betonte,[26] sondern daß dieses Charakteristikum durchaus ein
bewußtes künstlerisches Wollen darstellt, zeigt z.B. der Linolschnitt *Häuschen – Bellevue*
(Kat. 16). Hier erzeugte Münter durch eine perspektivische Darstellung eine gewisse
Raumtiefe, die auch auf dem Holzschnitt *Nächtliches Dorf* zu spüren ist, auf dem der
Betrachter den Blick über das Dorf in die Landschaft schweifen lassen kann. Dieser
weite Blick bleibt allerdings in der Druckgraphik die Ausnahme. Aber er ist ein Beispiel

dafür, daß Münter tatsächlich auch anders gestalten kann und daß die geringe Bildtiefe der meisten Holz- und Linolschnitte demnach eine bewußte Gestaltungsweise ist.

Mit Licht und Schatten ging Münter auf ganz unterschiedliche Weise um. Bei *Häuser in Kallmünz* (Kat. 2) oder *Wäsche am Strand* scheinen sich die Schattenflächen zu verselbständigen und bilden vom schattenspendenden Gegenstand unabhängige Formen. Bei der Pariser Porträtserie werden die Schatten formgestaltend eingesetzt und sind markant von der weißen Lichtzone getrennt. Wenn Schatten auftreten, so sind sie niemals in sich tonig abgestuft. Doch ein großer Teil von Münters Druckgraphik ist schattenlos, was wiederum ein Vorgriff auf die spätere expressionistische Malerei ist.

Die Themen der Graphik spiegeln in erster Linie Münters Umgebung wider: Straßen und Dorfansichten von Kallmünz, Paris und Sèvres, Tunesien, Rapallo und später auch von Murnau und München. In ihren Porträts, bei denen es sich um Menschen aus ihrer Nachbarschaft in Paris bzw. Sèvres handelte, war es Münter wichtig, das Charakteristische der Person wiederzugeben. Die Spielzeugserie, durch die zahlreichen Besuche Münters bei ihrer Schwester im Winter 1907/08 in Berlin inspiriert, zeigt die kindliche Welt von Münters Nichte Friedel. Erzählerische Motive, Bilder, auf denen eine Handlung illustriert wird, interessierten Münter kaum, nur bei den Holzschnitten für die Zeitschrift ›Der Sturm‹, zu denen auch *Bauarbeit* gehört, tauchen wenige genrehafte Szenen auf. Münter erfand in ihren Blättern keine Geschichten, sie konzentrierte sich auf einen Ausschnitt ihrer Umwelt. Es wäre jedoch irrig anzunehmen, daß sie nicht komponierte, also nur die Natur abzubilden versuchte. Münter bewies durch ihre Skizzen und Studien, daß sie durch Stilisierung, Reduzierung und Abstraktion sowie durch Hinzufügen und Weglassen den Bildaufbau bewußt und in eigenständiger künstlerischer Gestaltung bestimmte und formte.

Münters Malerei vor 1908 unterscheidet sich auffallend von ihren zeitgleich entstandenen druckgraphischen Arbeiten. In der von Kandinsky in der Phalanx-Schule um 1902 erlernten Malweise wird, etwa bei dem Gemälde *Kallmünz* (Abb. 8), die pastose Farbe mit dem Spachtel in vielen Zügen kleinteilig auf die Leinwand gesetzt. Diese oft direkt vor der Natur entstandenen, detailreichen Gemälde haben die Absicht, in naturnachahmender Weise eine perspektivische Raumillusion zu schaffen. Die Spachtelstudien zeichnen sich zudem durch eine naturnahe Farbgebung und eine tonige Abstufung der Schatten aus. Sie kommen ohne homogen eingefärbte Flächen und ohne einen die Fläche umschließenden Kontur aus. Diesen erheblichen formalen Differenzen zwischen der zeitgleich entstandenen Druckgraphik und der Malerei steht die Themengleichheit dieser beiden künstlerischen Medien zu dieser Zeit gegenüber. In ihrer Druckgraphik vermochte Münter wesentliche formale Merkmale ihrer Flächenmalerei nach 1908 vorwegzunehmen. Auch gestalterische Aspekte tauchten zuerst in diesen frühen Holz- und Linolschnitten auf. So setzte sie die Pariser Porträts in die für die Dargestellten typische, alltägliche Umgebung, wie sie dies später auch in ihren sogenannten Genreporträts tat. Den Puppen und Spielzeugfiguren der Berliner Serie verhalf sie durch Blick- und Raumbezüge zum Leben, was sie nach 1908 in ähnlicher Weise in ihren sogenannten religiösen Stilleben mit den Holzfiguren und Hinterglasbildern der bayerischen Volkskunst wiederholte. Die Kinderwelt, in die Münter mit der Spielzeugserie eintauchte, faszinierte sie später ebenso. Sie ging dann aber noch einen Schritt weiter und begann Kinderzeichnungen systematisch zu sammeln und sich, wie andere Künstler der Avantgarde, die formalen Gestaltungsmerkmale dieser Zeichnungen anzueignen.

Kandinskys frühe Druckgraphik bis 1908 ist schon auf den ersten Blick völlig verschieden von Münters Blättern. Der Farbholzschnitt *Die Nacht – Große Fassung* (Abb. 9)

8 Gabriele Münter, *Kallmünz*, 1903, Öl/Leinwand, Städtische Galerie im Lenbachhaus, München

9 Wassily Kandinsky, *Die Nacht – Große Fassung*, 1903, Farbholzschnitt

gilt als einer der ersten symbolistischen Holzschnitte Kandinskys. Das extreme Hochformat wird fast völlig von einer schönen, hochgewachsenen Dame mit langem weißem
Schleier und Schleppe gefüllt. Die Kleidung entspricht wohl einer Mischung aus mittel-
alterlicher Tracht und der züchtig hochgeschlossenen Mode der Jahrhundertwende.
Weit im Hintergrund sind zwei ritterliche Trompeter zu Pferde und eine mittelalterliche
Burg zu erkennen. Die Darstellung ist ganz der Fläche verpflichtet, Räumlichkeit ist
allein durch die große Differenz der Maßstäbe von Vorder- und Hintergrund suggeriert.
Bei der beinahe körperlosen Gestalt der Frau sind Plastizität und Volumen ausschließlich durch die organisch geschwungenen Linien bzw. Ausdehnung der Farbflächen angedeutet. Körperlosigkeit und die Betonung der dekorativen und melodiösen Linien-
schwünge sind eindeutig der Formensprache des Jugendstils verpflichtet. Die völlig
konträre Auffassung der Linie im Gegensatz zu Münter ist evident. Bei Münter ist sie
kurz, knapp und komprimiert, bei Kandinsky hingegen elegant ausladend und organisch schwungvoll. Die verschiedenen Bedeutungsebenen können an dieser Stelle nur
angedeutet werden. Kandinsky bezeichnete dieses Blatt in einem Brief an Münter vom
25. Oktober 1904 als »Die Dame (meine Liebe zu dir darstellend)«, Kleine sieht darin
ein »verfremdetes Hochzeitbild«[27] und Langner verweist auf die Darstellung einer Alle-
gorie der Nacht, wobei Kandinsky aus seinen subjektiven Bildassoziationen schöpfte und
sich ganz im Sinne des Symbolismus von der traditionellen Ikonographie distanzierte.[28]

11   Wassily Kandinsky, *Gegen Abend*, 1903, Holzschnitt

Kandinskys Darstellungen sind viel detailreicher. Bei dem Holzschnitt *Abschied –*
Große Fassung (Abb. 10), erneut der mittelalterlichen Sagenwelt entnommen, sind Ritter-
rüstung und faltenreiches Kleid der beiden Figuren ausschmückend und dekorativ in
Szene gesetzt. Wie schon bei dem Blatt *Die Nacht – Große Fassung* war Kandinsky an
einer ansprechenden und wirkungsvollen Gestaltungsweise, die ganz dem Jugendstil
entnommen ist und der damaligen Mode voll entsprach, interessiert. Diese Auffassung
steht der Gestaltungsweise Münters diametral entgegen. Gemeinsam ist den Holz- und
Linolschnitten Münters und Kandinskys eine gewisse Flächigkeit, die bei Kandinsky
jedoch eher Körperlosigkeit der Figuren und nicht Verzicht auf einen perspektivisch
gestaffelten Raum bedeutet. Bei vielen seiner druckgraphischen Blätter, so bei *Gegen*
Abend (Abb. 11) ist eine deutliche Raumtiefe zu beobachten. Auch inhaltlich geht
Kandinsky ganz eigene Wege. Für seine im mittelalterlichen, biedermeierlichen oder
altrussischen Milieu sowie auch im Rokkoko angesiedelten Holz- und Linolschnitte hat
Kandinsky ausgiebige Kostümstudien betrieben. Oft entlehnt er in seiner Druckgraphik
einzelne Motive aus Aleksandr N. Afanasievs 1855 nach dem Vorbild der Brüder
Grimm verfaßter Sammlung von russischen Volksmärchen.[29]

Die Unterschiede von Kandinskys Blättern zu den Holz- und Linolschnitten Münters sind deutlich geworden. Ihre Arbeiten haben abgesehen von einigen drucktechnischen Vorgehensweisen weder formal noch inhaltlich etwas gemeinsam. Münters
druckgraphische Arbeiten sind zusammen mit den schriftlichen Quellen nicht nur Bele-
ge für ihre Eigenständigkeit, sondern sie beweisen darüber hinaus auch die Vorreiterrol-
le Münters im Hinblick auf ihre Malerei und die Kandinskys ab Sommer 1908. Während
Kandinsky in seiner Druckgraphik formal und inhaltlich Jugendstil und Symbolismus
pflegt, distanziert sich Münter davon und greift in der knappen Formensprache ihrer
Druckgraphik den Gestaltungsmerkmalen der Flächenmalerei vor.

Diese unterschiedliche Auffassung in der Gestaltung drückt sich auch in Münters
kritischen Äußerungen zu den Druckgraphiken Kandinskys aus. Leider sind diese nicht
erhalten, doch aus den ausführlichen Rechtfertigungsversuchen Kandinskys, die hier
nur in Auszügen zitiert werden können, kann man die Abneigung Münters gegenüber

Kandinskys frühen Holz- und Linolschnitten deutlich spüren. Am 1. August 1904 schreibt Kandinsky an Münter: »Bin gespannt, ob dir meine neue Art Holzschnitt gefallen hat. Glaube kaum.« Fünf Tage später ist zu lesen: »Habe dir heute einen neuen [Holzschnitt] geschickt. Es tut mir immer so furchtbar leid, wenn dir meine Sachen nicht gefallen.« Am 10. August 1904 scheint Kandinsky über Münters Kritik so verärgert zu sein, daß er sich zu einer langen Rechtfertigung hinreißen läßt. »Jetzt noch vom Holzschneiden. Siehst du, abgesehen vom Erfolg und Verkauf (was bei mir nie in erster Linie stehen kann) habe ich auch künstlerische Zwecke und Liebe dabei, die du nicht verstehst, weil sie vielleicht nicht energisch genug zur Geltung kommen. Probiere aber nicht, mich von der Sache abzuhalten. In dieser Beziehung bin ich unverbesserlich, eigensinnig und bis zum kleinsten auch eigenartig. Es ist ganz unmöglich, irgendeinen Einfluß auf mich hier auszuüben. Du brauchst auch nicht nach Zweck dieser oder jener Arbeit zu fragen: Sei haben nur einen Zweck – ich muß sie machen, weil ich auf andere Weise mich vom Gedanken (eventuell Traum) nicht frei machen kann. Ich denke auch an keine praktische Verwendung. Ich muß einfach das Ding machen. Später verstehst du mich besser. Du sagst Spielerei! Jawohl! Alles. Was der Künstler macht ist auch nur Spielerei. Er quält sich, sucht seinen Gefühlen und Gedanken Ausdruck zu finden, er spricht mit Farbe, Form, Zeichnung, Klang, Wert, etc. Wozu? Große Frage!... Und hier und da finde ich auch Leute, die mir für meine Sachen dankbar sind, die etwas davon haben. So war gestern ein russischer Maler bei mir, der zu mir sagte, daß er dank meiner langen Dame mit Kind einen ganzen Tag guter Laune war, immer das Ding vor Augen hatte, schließlich noch mal zu Littauer ging und das Ding kaufte ›um immer Freude daran zu haben‹... Daß du von mir besonders viel verlangst – freut mich ja sehr, wirklich sehr. Verlange aber nicht alles in jeder Arbeit, weil es erstens beinahe nicht möglich ist, und wenn möglich – so schädlich und schlecht für die Arbeit.«[30]

Münter gefallen Kandinskys Holzschnitte nicht. Sie bezeichnet die Arbeiten als »Spielerei« und fragt ihn, wozu er sie anfertige und welchen künstlerischen »Zweck« diese Blätter haben sollen. Sie mokiert sich darin in keiner Weise allgemein über den Holzschnitt an sich, wie Kleine wohl fälschlicherweise diese Aussage Kandinskys interpretiert hat.[31] Meines Erachtens übt Münter hier deutlich Kritik speziell an Kandinskys Druckgraphik, weil sie sich fragt, ob er mit diesen ganz dem Zeitgeschmack entsprechenden Blättern in seiner Kunst tatsächlich so stark weiter komme, wie er behauptet. Diese Abgrenzung von Kandinskys und weitestgehend auch von den übrigen Holz- und Linolschnitten ihrer Zeit, deren Untersuchung an dieser Stelle den Rahmen sprengen würden, ist die herausragende Leistung Münters im Bereich der Druckgraphik. Trotz aller Anfeindungen, die einer kunstschaffenden Frau Anfang des Jahrhunderts entgegengebracht werden, kann Münter hier eine in erster Linie von ihr selbst konzipierte künstlerische Ausdrucksweise verwirklichen.

1 Johannes Eichner, *Kandinsky und Gabriele Münter. Von Ursprüngen moderner Kunst*, München 1957, S.50

2 Gisela Kleine, *Gabriele Münter und Wassily Kandinsky. Biographie eines Paares*, Frankfurt a.M./Leipzig 1990, S.208f. Kleine verzichtet hierbei bezeichnenderweise auf Quellenangaben. Siehe dazu auch Reinhold Heller *The Years of Expressionism, 1903 – 1920* (Ausst.Kat. Milwaukee Art Museums, Milwaukee/Wisconsin u. a.), München 1997, S.59: »Again she followed the example of Kandinsky, who had worked intensely on woodcuts during the time in Kallmünz…« Ebenso Meike Hoffmann, *Druckgraphik des Blauen Reiters*, in: Magdalena M. Moeller (Hrsg.), Der Blaue Reiter und seine Künstler, Ausst.Kat.Brücke Museum, Berlin 1998, S.127: »Kandinsky wird den Anstoß zum Holzschneiden gegeben haben.«

3 Vivian Endicott Barnett, *Frühe Holzschnitte 1901 – 1904*, in: Das bunte Leben. Wassily Kandinsky im Lenbachhaus, Helmut Friedel (Hrsg.), Ausst.Kat.Städtische Galerie im Lenbachhaus München, Köln 1996, S.79

4 Will Grohmann, *Wassily Kandinsky. Leben und Werk.* Köln 1958, S.43; Hans Konrad Röthel, *Wassily Kandinsky. Das druckgraphische Werk*, Köln 1970, S.IX

5 Veröffentlicht wurde das Verzeichnis in der Sèlection, BD XIV, Antwerpen (1933), S.28; Roethel, 1970, S. IX

6 Grohmann, 1958, S.43

7 Zit. Gieslers aus einem nur teilweise veröffentlichten Manuskript: Maria Giesler, *Vom Frühwerk des Malers Wassily Kandinsky*, 1945, S.11. Siehe Kleine 1990, S.705

8 Roethel 1970, S.XIV

9 Vgl. Eichner 1957, S.37: »Aber es war ihr genug, als sie in dem Schulatelier von Wolff und Neumann eine einzige Platte geschnitten hatte (ein überlebensgroßes Gesicht).« S. dazu auch die Magisterarbeit der Verfasserin: Christina Schüler, *Untersuchungen zur Druckgraphik bei Gabriele Münter*, Bonn 1999 (nicht veröffentlicht)

10 Roethel 1970, S. XX

11 Helms 1967, o. S.

12 Helms 1967, S. 9

13 Es handelt sich um den Holzschnitt *Motiv bei Kallmünz* (Kat.3)

14 Brief Münters an Kandinsky vom 31.12.1903, Gabriele Münter- und Johannes Eichner-Stiftung (im folgenden: GM-JE-St.)

15 Helms 1967, o.S.

16 Andrea Tietze, *Der Linolschnitt. Technik, Geschichte, künstlerische Möglichkeiten*, Phil. Diss. Aachen 1993, S.39f.

17 Andrea Tietze, *Zur Geschichte des Linolschnitts*, in: Von Gabriele Münter bis Georg Baselitz. Die Geschichte des Linolschnitts. Sammlung Bietigheim-Bissingen, Herbert Eichhorn (Hrsg.), Ausst.Kat.Städtische Galerie Bietigheim-Bissingen 1994, S.10

18 Tietze 1994, S. 10

19 Tietze 1993, S. 63f.

20 Tietze 1994, S. 11f.

21 Hoffmann 1998, S.124

22 Roethel 1970, S. XX

23 Zit. nach Roethel 1970, S.XX

24 Zit. nach *Gabriele Münter: Bekenntnisse und Erinnerungen.* In: Gustav Friedrich Hartlaub Gabriele Münter. Menschenbilder in Zeichnungen. Berlin 1952, o. S.

25 Eichner 1957, S. 43f.

26 Vgl. Zit. Münters: »Aus anfänglichen Studien und der Art des damaligen Naturalismus kam ich bald zu dem befreiten Strich des Impressionismus und zu Farbholzschnitten, die einen erst technisch bestimmten Versuch zu vereinfachter Formgebung und flächig gearbeiteter Farbigkeit bilden.« Aus: *Gabriele Münter über sich selbst*, Das Kunstwerk 2, Heft 7, 1948, S.25.

27 Zit. nach Kleine 1990, S.183

28 Zu den Deutungsebenen siehe Johannes Langer, »*Das Sprechen vom Geheimen durch Geheimes*«. Kandinsky und der Symbolismus, in: Der frühe Kandinsky 1900 – 1910, Magdalena M. Moeller (Hrsg.), Ausst.Kat.Brücke Museum Berlin/Kunsthalle Tübingen, München 1994, S.74ff.

29 Zur Verbindung Kandinskys mit der russischen Volksmythologie und Folkloristik siehe Natasha Kurchanova, *Die Volksmythologie: Eine visuelle Sprache?*, in: Der frühe Kandinsky 1900 – 1910 (s. Anm.28), S.57ff.

30 Briefe Kandinskys an Münter, GM-JE-St.

31 Kleine 1990, S. 208ff.

Isabelle Jansen

Gabriele Münter in Paris 1906 bis 1907

Ankunft in Paris

Am 22. Mai 1906 kamen Gabriele Münter und Wassily Kandinsky in Paris an. Diese Reise gehörte zu einer Serie von Fahrten, die das Paar zwischen 1904 und 1908 unternahm, um seiner schwierigen persönlichen Lage in München zu entfliehen. Tatsächlich war die Liebesbeziehung zwischen den beiden kompliziert, da Kandinsky verheiratet war. Zwar hatte er den gemeinsamen Haushalt mit seiner Ehefrau Anna 1904 aufgelöst, die Vorstellung jedoch, daß sowohl seine Geliebte als auch seine Frau sich in München aufhielten, war ihm unerträglich. Wie aus einem Brief vom 11. September 1905 an Gabriele Münter, die sich damals bei ihrer Schwester in Bonn aufhielt, zu entnehmen ist, regte offenbar Kandinsky diese gemeinsame Reise nach Paris an.[1] Für Münter war es die erste Reise nach Paris, Kandinsky dagegen hatte die französische Kunst-Metropole in den Jahren zuvor bereits mehrmals besucht.

In Paris teilten sich Kandinsky und Münter über einen Monat eine Wohnung, Rue des Ursulines 12 im Quartier Latin, die ihnen der Halbbruder Kandinskys, Alexej Kojevnikow, vermittelt hatte.[2] Wenige Meter davon entfernt befand sich das Atelier von Alexis Mérodack-Jeaneau,[3] dem Herausgeber der *Tendances Nouvelles*, der Zeitschrift einer Künstlervereinigung, die auch Ausstellungen organisierte. Mit ihm stand Kandinsky schon seit 1904 in Verbindung. Mérodack-Jeaneaus besonderes Interesse galt der Wiederbelebung druckgraphischer Techniken. Für die Illustrationen der Zeitschrift verwendete er oft die Originalstöcke der Künstler.[4] Ab 1908 sollte auch Gabriele Münter bei ihm einige Druckgraphiken publizieren.

Aufenthalt in Sèvres und in Paris

Am 28. Juni 1906 zogen Münter und Kandinsky nach Sèvres, einen Vorort von Paris, wo sie das Erdgeschoß eines Landhauses mieteten. Von dort blickte man auf der einen Seite nach Sèvres und auf der anderen Seite auf ein Schlößchen aus dem 19. Jahrhundert im Park von Saint-Cloud.[5] Diese Motive sollten eine wichtige Inspirationsquelle für Münters Schaffen in Paris darstellen.

Bereits im Juli fuhr Kandinsky ohne Münter von Sèvres aus mit russischen Verwandten in die Bretagne. Am 17. November 1906 zog sie allein nach Paris zurück, wo sie sich bis mindestens März 1907 ein Zimmer in der Rue Madame 58 mietete. Im selben Haus wohnten Michael Stein – der Bruder der amerikanischen Kunstsammlerin Gertrude Stein – und seine Frau Sarah, die eine große Sammlung von Werken der Fauves besaßen.[6] Ein Grund für Münters Entscheidung, neben dem gemeinsamen Wohnsitz in Sèvres ein eigenes Zimmer in Paris zu mieten, mag einerseits mit der Beziehung zwischen ihr und Kandinsky zusammengehangen haben. Kandinsky befand sich in einer Krise und bat Gabriele Münter, ihn eine Zeitlang allein zu lassen.[7] Andererseits erkannte Münter, daß Paris ihr weit mehr Möglichkeiten für ihre eigene künstlerische Ausbildung bieten konnte. Sie meldete sich an der Akademie der Grande Chaumière an, die sich in der Rue de la Grande Chaumière 14 am Montparnasse befand. Dort besuchte sie einen Monat lang einen Kursus für Pinselzeichnung, wo sie Akt und Kopf zeichnete. Théophile Steinlen, der für seine Plakatkunst sehr bekannt war, sah sich ihr Skizzenbuch aufmerksam durch und erkannte sofort ihre Begabung. Münter berichtete später: »Berufene haben frühzeitig meinen Strich geschätzt. Als ich in Paris ein paar Wochen in der ›Grande Chaumière‹ arbeitete, sah T.A. Steinlen, der vielgenannte Graphiker und Meister, mein Skizzenbuch aufmerksam durch und sagte: ›Avec ce dessin vous pouvez arriver à des choses très élevées‹«.[8] Münter hatte also engeren Kontakt mit einem Künstler, der sich mit Druckgraphik auseinandersetzte, was hinsichtlich ihrer intensiven Beschäftigung mit dieser Technik in Paris sehr anregend gewirkt haben mag. Warum sich Münter für die Akademie der Grande Chaumière entschieden hatte, ist nicht bekannt. Es ist aber interessant festzustellen, daß einer ihrer Mitschüler an der Phalanx-Schule in München, der Maler Carl Palme, bereits 1903 nach Paris übergesiedelt war und dort durch die Vermittlung Alexej Jawlenskys ein Zimmer in der Rue de la Grande Chaumière bezogen hatte.[9] Es wäre also denkbar, daß Münter durch ihn auf die Akademie der Grande Chaumière aufmerksam wurde.

Die Kunstszene in Paris 1906–07

Die Studienreise nach Paris war damals für einen Künstler fast unerläßlich. Es war wichtig, in Paris gewesen zu sein, nicht nur, um die künstlerische Ausbildung zu vervollkommnen und die neuesten Tendenzen der französischen Kunst kennenzulernen, sondern auch um dort auszustellen. Die Teilnahme an einem Salon garantierte einen gewissen Grad an Bekanntheit und dadurch eine größere Chance, im eigenen Heimatland Anerkennung zu finden.[10] Manche Künstler blieben nur einige Monate, manche einige Jahre und andere für immer. 1906 kamen u.a. Juan Gris, Amedeo Modigliani und Gino Severini nach Paris. Es hielten sich auch viele deutsche Künstler in Paris auf; einige zur gleichen Zeit wie Gabriele Münter, z.B. Paula Modersohn-Becker, die von Februar 1906 bis Ende März 1907 in der Avenue du Maine, also auch im Viertel von Montparnasse, ein Atelier bezogen hatte.[11] Franz Marc verbrachte von März bis April 1907 bereits zum zweiten Mal einige Wochen in Paris, August Macke war im Juni 1907 hier und Lyonel Feininger einige Monate 1906–07. Der deutsche Kunsthistoriker Julius Meier-Graefe lebte von 1895 bis 1914 in Paris.

Die Akademie der Grande Chaumière, die Münter besuchte, war als eine freie Akademie 1902 von der Schweizerin Martha Stettler gegründet worden und existiert noch heute.[12] Am Montparnasse befanden sich zahlreiche solcher freien Akademien, die ihre Schüler für die Aufnahmeprüfung an der Ecole des Beaux-Arts vorbereiteten. Die Rue de la Grande Chaumière führte direkt zu der Vavin-Kreuzung mit dem Café du Dôme. »Le Dôme, c'est un café du carrefour Raspail-Montparnasse. Les ›dômiers‹, ce sont les peintres allemands qui le fréquentent« schrieb der Dichter und Kunstkritiker Guillaume Apollinaire am 2. Juli 1914.[13] Das Café wurde zunächst von amerikanischen Künstlern entdeckt, die in den freien Akademien des Montparnasse-Viertels studierten, und entwickelte sich zu einem zentralen Treffpunkt junger ausländischer Künstler. Mit der Ankunft der drei Münchner Rudolf Levy, Walter Bondy und Emil Cardinaux 1903 entwickelte sich das Café auch zum Treffpunkt der deutschen Künstler-Kolonie.[14] Es ist bemerkenswert, daß viele deutsche Künstler, die im Café du Dôme verkehrten, aus München kamen und sich bereits aus der bayerischen Hauptstadt kannten. Rudolf

Levy, Hans Purrmann, Albert Weisgerber und Eugen von Kahler z.B. hatten sich bereits in München regelmäßig getroffen.[15] 1905 folgte Hans Purrmann aus München. Er hatte gleichzeitig mit Kandinsky in der Malklasse von Franz von Stuck studiert und ist daher vermutlich der wichtigste Kontakt Kandinskys und Münters bei ihrer Ankunft in Paris 1906 gewesen.[16] Zu derselben Malklasse von Stuck, Jahrgang 1900–1901, zählten neben den bereits erwähnten Eugen von Kahler und Albert Weisgerber auch Hermann Haller und Eugen Spiro, die ebenfalls nach Paris reisten.[17] Georg Oppenheim, John Jack Vrieslander und Albert Weisgerber, die wie Münter bei der Phalanx in München ausgestellt hatten, trafen sich ebenfalls im Café du Dôme.[18] Inwieweit Gabriele Münter zu diesen Münchner Malern in Paris Kontakt hatte, ist leider nicht mehr festzustellen. Da sie aber direkt beim Montparnasse-Viertel wohnte und an der Akademie der Grande Chaumière studierte, ist es wahrscheinlich, daß auch sie das berühmte Café besuchte. Die »Dômiers« interessierten sich zudem für den Fauvismus, eine Kunstrichtung, die auch Münter sehr schätzte.

Die Künstler des anderen berühmten Künstlerviertels von Paris, Montmartre, hat Gabriele Münter wahrscheinlich persönlich nicht kennengelernt. Montmartre wurde ab 1906–07 wieder interessant, nachdem Picasso sich 1904 im dortigen Atelierhaus Bateau-Lavoir in der Werkstatt des Keramikers Paco Durrio niedergelassen hatte. Zu seinem Kreis gehörten u.a. Juan Gris, Guillaume Apollinaire, der Schriftsteller Max Jacob sowie der Schriftsteller und Kunstkritiker André Salmon.[19] Picasso entdeckte im Louvre die iberische Kunst und begann an seinem Bild *Les Demoiselles d'Avignon* zu arbeiten, das einen Meilenstein in der Geschichte der Moderne darstellen sollte.

Anders als der Kubismus befand sich der Fauvismus, die zweite Richtung der avantgardistischen französischen Kunst, nicht mehr in der Entstehungsphase. Die Bilder der Fauves hatten bereits 1905 im Salon d'Automne einen Skandal hervorgerufen, anläßlich dessen der Kunstkritiker Louis Vauxcelles dieser neuen Kunstbewegung ihren Namen gab. Während der Kubismus Münters künstlerische Entwicklung kaum beeinflußte, spielte der Fauvismus eine wichtige, wegweisende Rolle in ihrem Werk.

Die Salons und Galerien in Paris 1906–07

In Paris fanden jährlich vier Salons statt: die konservativen Kunstrichtungen waren auf dem Salon der Société des Artistes français und auf dem Salon der Société nationale des Beaux-Arts zu sehen, während die avantgardistischen Tendenzen auf dem Salon des Indépendants und dem Salon d'Automne anzutreffen waren. Die Société des Artistes français war die älteste und auch die reaktionärste Vereinigung. Auf dem Salon der Société nationale des Beaux-Arts, die 1890 gegründet worden war, stellten viele symbolistische Künstler aus. Auf der 17. Ausstellung vom 14. April bis zum 30. Juni 1906 waren eine Eugène Carrière-Retrospektive und Werke von Théophile Steinlen zu sehen.[20] Der 1903 gegründete Salon d'Automne zeigte 1906 eine umfassende Gauguin-Retrospektive mit 227 Exponaten. Zugleich fanden zwei Retrospektiven über Gustave Courbet und Eugène Carrière sowie eine Ausstellung russischer Kunst statt, innerhalb der auch Jawlensky ausstellte. Außerdem wurde den Fauves eine große Ausstellung gewidmet, an der Robert Delaunay, André Derain, Raoul Dufy, Othon Friesz, Albert Marquet, Henri Matisse, Maurice de Vlaminck, Kees van Dongen u.a. beteiligt waren. Daneben konnte man auch Werke von Pierre Bonnard, Paul Cézanne, Odilon Redon, Auguste Renoir, Henri Rousseau, Georges Rouault, Félix Vallotton und Edouard Vuillard studieren. Auch Kandinsky stellte seit 1904 regelmäßig im Salon d'Automne aus. Der Salon des

Artistes indépendants, der 1884 nach dem Motto »ohne Jury, ohne Auszeichnung« gegründet worden war, zeigte 1907 Werke der Künstler, die am Salon d'Automne von 1906 beteiligt gewesen waren, hinzu kamen u.a. noch Georges Braque, Henri-Edmond Cross, Paul Sérusier und Paul Signac. Picasso kaufte hier ein Gemälde von Rousseau, Braque konnte alle seiner Bilder verkaufen. Münter war in Paris also mit dem gesamten Spektrum der europäischen Avantgarde konfrontiert.

Neben den Salons boten auch zahlreiche Galerien die Möglichkeit, ältere, moderne und zeitgenössische Kunst zu sehen. In einem Skizzenbuch Gabriele Münters, 1907 datiert,[21] stehen neben einem Entwurf zur Druckgraphik *Im Café I* (Kat. 24) eine Künstlerliste sowie der Name einer Galerie: »P. Gauguin, van Gogh, Monticelli, Odilon Redon, Cézanne, Matisse, M. Denis, Berthe Morisot, Degas, Signac, Renoir. Rue Bellechasse 51. Galerie Fayet.« Diese Liste mag ein Hinweis sein, für welche Künstler sich Münter in Paris besonders interessierte. Viele dieser Künstler sind Impressionisten bzw. Post-Impressionisten, was nicht überrascht, wenn man Münters malerisches Werk, der Pariser Jahre betrachtet. Deren Bilder konnte man in den Galerien Bernheim-Jeune, Durand-Ruel und Georges Petit sehen. Die Nabis und die Neo-Impressionisten waren durch die Galerie Bernheim-Jeune vertreten, wo der Kunstkritiker Félix Fénéon, Verteidiger der Neo-Impressionisten, eine Abteilung leitete. Die Galerie Berthe Weill zeigte Arbeiten von Delaunay, Metzinger, Cézanne, Picasso, Vallotton und wurde zugleich für ihre zahlreichen Fauves-Ausstellungen bekannt. Die Galerie Weill vertrat auch Georges Rouault, für den sich Münter sehr interessierte.[22] Kandinsky und Münter sollen sogar einige Arbeiten von ihm erworben haben.[23] Die für ihn typischen ausgeprägten schwarzen Linien könnten das Interesse Münters für diesen Künstler erweckt haben, der eine Lehre als Glasmaler absolviert hatte, bevor er Schüler von Gustave Moreau wurde. Er gehörte keiner bestimmten Kunstrichtung an, auch wenn er oft den Fauves zugeordnet worden ist. Seine Malerei, die auf die Innenwelt des Menschen gerichtet ist und sich insofern vom Fauvismus unterscheidet, der sich fast ausschließlich mit malerischen Problemen auseinandersetzte, übte eine besondere Anziehungskraft auf expressionistische Künstler aus.

Bei der Galerie Ambroise Vollard waren Gemälde von Cézanne, van Gogh, Gauguin, Picasso sowie von Rousseau zu sehen. Diese Galerie hatte 1901 die erste Picasso-Ausstellung und 1904 die erste Matisse-Ausstellung organisiert.[24] Münter muß auch die Galerie du XXe Siècle von Clovis Sagot – dem Bruder des Kunsthändlers Edmond Sagot, der Druckgraphik verkaufte und den Künstler Félix Vallotton vertrat – besucht haben, da auch Kandinsky zweimal, 1904 und 1906, dort ausstellte.[25] Auf die Entwicklung einer neuen Formensprache im Bereich des Holzschnitts in der zweiten Hälfte des 19. Jahrhunderts hatte Vallotton wesentlichen Einfluß, der auch von Münter rezipiert wurde. Clovis Sagot konzentrierte sich auf die Kubisten und Maler aus deren Umfeld, wie u.a. Pablo Picasso, Auguste Herbin, Juan Gris, Jean Metzinger, Albert Gleizes, Fernand Léger, Marie Laurencin, Maurice Utrillo und Suzanne Valadon.[26]

Neben den vielen Möglichkeiten der Galerie- und Salonbesuche hatte Münter auch Zugang zu Privatsammlungen. Davon zeugt ein Tagebucheintrag, in dem sie »die Familie Stein mit ihrer Sammlung moderner Franzosen besonders Henri Matisse und Picasso«[27] erwähnt.

Die Aufzeichnung der Namen zweier französischer Schriftsteller, Anatole France und Joris-Karl Huysmans, in einem ihrer Skizzenbücher[28] zeigt, daß Münter sich in Paris nicht nur für die bildenden Künste interessierte. Huysmans, dessen Entwicklung vom Naturalismus zum Symbolismus geführt hatte, zählte viele Künstler zu seinen

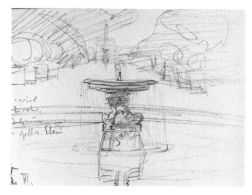

1   Gabriele Münter, *Le jardin des Tuileries*, 1906–07,
Blei, Skizzenbuch, Städtische Galerie im Lenbachhaus,
München

Freunden. Auch Kandinsky scheint sich für ihn interessiert zu haben, wie man einem Brief an Münter entnehmen kann: »An der Quai Huysmans gekauft Les Soeurs Vatard. Nach Auslesen schicke dir, wenn du willst.«[29] All diese Anregungen leiteten eine reichhaltige und experimentierfreudige Phase in Münters künstlerischem Schaffen ein.

Münters druckgraphisches Schaffen in Paris

Bezüglich ihres künstlerischen Werkes erwies sich das Jahr in Paris für Gabriele Münter als sehr produktiv. Sie malte Ölbilder im impressionistischen Stil, füllte mehrere Skizzenbücher mit Straßen- und Parkszenen (Abb. 1) und schuf etwa ein Viertel ihres gesamten druckgraphischen Werkes. Die Druckgraphik als eine abstrahierende Kunst, die sich in ihren Mitteln auf Linien und Helligkeitswerte beschränkt, kam Gabriele Münter sehr entgegen. Später berichtete sie: »Ich bin von Kindheit auf so ans Zeichnen gewöhnt, daß ich später, als ich zum Malen kam – es war in meinen zwanziger Jahren –, den Eindruck hatte, es sei mir angeboren, während ich das Malen erst lernen mußte.«[30] Ihre Hinwendung zur Druckgraphik entsprach der Wiederbelebung der Originalgraphik, die in der zweiten Hälfte des 19. Jahrhunderts mit der Entdeckung japanischer Holzschnitte begonnen hatte. Die Druckgraphik wurde nicht mehr als reine Reproduktionstechnik aufgefaßt, sondern als ein selbständiges künstlerisches Medium bildnerischer Erfindung. In Deutschland stand München im Zentrum dieser Strömung: »München kann heute als Vorort des modernen deutschen Holzschnittes betrachtet werden. Seit 4 bis 5 Jahren, seit dem Auftreten des hochbegabten und zielbewussten Ernst Neumann, hat der Holzschnitt hier fortwährend an Boden gewonnen« schrieb 1905 Wilhelm Michel.[31] Münter hatte in der Heinrich-Wolff-und-Ernst-Neumann-Schule in München 1902 einen Holzschnittkurs besucht und kannte somit die neuesten Entwicklungen dieser Technik.

Zur Aufwertung des Holzschnitts hatte der in Paris lebende Schweizer Maler Félix Vallotton maßgeblich beigetragen. Für die Zeitschriften *Pan* und *Jugend* lieferte er ab 1895 bzw. 1896 zahlreiche Illustrationen und schuf Abbildungen zu Werken Otto Julius Bierbaums und Paul Scheerbarts. 1898 veröffentlichte Meier-Graefe die erste Monographie des Künstlers, die besonders seinem druckgraphischen Werk gewidmet war.[32] Die Holzschnitte Vallottons wurden so auch in Deutschland bekannt.

Im Zuge der Entwicklung und Popularisierung der Originalgraphik wurden 1906 an der Pariser Ecole des Beaux-Arts Lehrstühle für Lithographie, Holzschnitt und Radierung eingerichtet.[33] In München hatte Gabriele Münter nur wenige Druckgraphiken geschaffen, erst ihr Aufenthalt in Paris lieferte die Anregung, auch mit diesem Medium zu experimentieren. Einen Impuls gab Kandinsky, der in Paris ab Juli 1906 an Holzschnitten arbeitete und im selben Jahr im Salon d'Automne Farbholzschnitte der Jahre 1903 und 1904 ausstellte. Ein anderer Impuls für Münter könnte die Gauguin-Retrospektive im Salon d'Automne von 1906 gewesen sein, wo die Holzschnitte zu dessen Künstlerbuch *Noa-Noa* zu sehen waren. Gauguins Technik des Holzschnitts beeinflußte viele Künstler, u.a. Matisse, Derain oder Vlaminck,[34] und könnte auch auf Münter stark gewirkt haben. Nicht zu vergessen ist zudem die Rolle, die Steinlen für Münters Beschäftigung mit der Druckgraphik gespielt hat. In Paris schnitt Münter nicht nur in Holz, sondern auch in Linol, wie sie es wahrscheinlich schon an der Damenakademie des Künstlerinnen-Vereins in München bei Dasio gelernt hatte.[35]

In Münters Pariser Druckgraphiken lassen sich zwei thematische Hauptgruppen erkennen, die Porträts sowie die Straßen- und Parkansichten. Darüber hinaus findet man auch einzelne Motive wie z.B. den Kater *Waske* (Kat. 20), *Kleine Holländerin* (Kat. 23) oder eine Szene aus Tunesien (*Marabout*, Kat. 14).

Ein Lieblingsthema Münters war, seit sie mit dem Zeichnen angefangen hatte, das Porträt: »Ich kann berichten, daß ich schon als Kind viel mit dem Bleistift hantiert habe, und zwar zeichnete ich immer nur Gesichter.«[36] Bereits zu Beginn ihrer Ausbildung in München bei Maximilian Dasio und Angelo Jank in der Schule des Künstlerinnen-Vereins zeichnete sie Porträt nach lebendem Modell.

Ihre Pariser Graphik-Porträts folgen einem einheitlichen Aufbau: Das Modell ist als Brustbild im Dreiviertelprofil mit flächigen vereinfachten Formen dargestellt. Verschiedene Farbvariationen werden für ein Porträt gedruckt. Der Hintergrund bleibt meistens ohne Darstellung und wird oft nur durch senkrechte Striche moduliert. Ausnahmen bilden die Porträts *M. Vernot* (Kat. 8), *Mme Vernot mit Aurelie* (Kat. 9) sowie *Kandinsky* (Kat. 6). Während es sich bei letzterem um einen dekorativen Hintergrund handelt, erkennt man bei den Vernots eine erzählerische Szene, die zusätzliche Informationen über die Porträtierten liefert. M. Vernot befindet sich vor einer Flußlandschaft und Mme Vernot vor ihrer Küche, wo Aurelie, die Hausgehilfin, bei der Arbeit ist. Dieser erzählerische Hintergrund in zurückhaltenden Tönen war auch für den Münchner Holzschnitt charakteristisch (Abb. 2).[37] Der Hintergrund auf dem Porträt Kandinskys hat demgegenüber oft für Fragen gesorgt. Er besteht aus verschiedenen Farbflächen, die, von schwarzen Linien umrandet, an den Cloisonnismus Gauguins erinnern. Von Reinhold Heller wurde er als abstrakte Landschaft gedeutet.[38] Er könnte auch ein schwaches Echo auf Paul Signacs Bildnis des Kunstkritikers Félix Fénéon sein, der sich an einem japanischen Holzschnitt orientiert hatte (Abb. 3).[39] Kandinsky setzte sich in dieser Zeit intensiv mit dem Neo-Impressionismus auseinander, insbesondere mit der Malerei Signacs, so daß Münters Porträt eine Art Spiegelung der aktuellen Interessen Kandinskys darstellen könnte.

Den Kontrast zwischen flächigen Licht- und Schattenzonen findet man bereits in den Holzschnitten Vallottons. Schon 1910 schrieb ein Kunstkritiker: »Münters Farbenholzschnitte verraten den Meister. Die beiden Portraits à la Valloton [sic!] sind gross genommen und voll Leben.«[40] Münter ahmte Vallottons Stil nicht direkt nach, ihre

2 Hans Neumann, *Graziella*, Holzschnitt

3 Paul Signac, *Portrait de Félix Fénéon sur l'émail d'un fond rythmique de mesures et d'angles, de tons et de teintes*, 1890, Öl/Leinwand, Privatsammlung

4 Gabriele Münter, *Weiblicher Kopf*, um 1903. Tuschzeichnung, Skizzenbuch, Gabriele Münter- und Johannes Eichner-Stiftung, München

5 Félix Vallotton, *Das Klavier*, 1896. Holzschnitt

Arbeit stand jedoch in der Tradition des Münchner Jugendstilholzschnitts, der von Vallotton stark beeinflußt worden war. Münter war um so mehr vertraut mit den letzten Entwicklungen der Münchner Druckgraphik, als ihr Lehrer bei der Schule des Künstlerinnen-Vereins, Angelo Jank, Illustrationen für die Zeitschriften *Jugend* und *Simplicissimus* schuf. Einige Tuschzeichnungen Münters aus der Münchner Zeit zeigen ihre frühe Auseinandersetzung mit Licht und Schatten in Kopfdarstellungen (Abb. 4). Vergleicht man die Druckgraphik Münters mit der Vallottons, wird deutlich, daß jener – obwohl der älteren Generation zugehörig – der Avantgardist war. Seine Formensprache ist reduzierter und er verzichtet auf jeden Ansatz von Halbtönen und Übergängen, was die Flächigkeit stark betont. Das wird deutlich, wenn man Münters Druck *Kandinsky am Harmonium* (Kat. 15) mit Vallottons *Das Klavier* (Abb. 5) vergleicht. Im Druck Vallottons sind die Formen so vereinfacht, daß es keinerlei Räumlichkeit mehr gibt. Die schwarze Farbe fließt von unten in das Bild ein und verbindet den Spieler, seinen Schatten sowie das Klavier. Bei dem Druck Münters bleibt das Raumgefühl sehr präsent und die Details, z. B. die Blumenvase, werden präzis ausgeführt.

Münter beherrschte die Technik des Holz- und Linolschnitts meisterhaft und zeigte sich in Paris sehr experimentierfreudig. Für manche Drucke benutzte sie bis zu neun Farben. Mitunter druckte sie zwei Farben übereinander wie z. B. bei *Häuschen – Bellevue*

(Kat. 16). Die Fläche erscheint dadurch leicht moduliert und gewinnt an Lebendigkeit. Bei den Park- und Straßenansichten druckte Münter verschiedene Farbvariationen (fünfzehn für *Parc Saint Cloud*, Kat. 12), die, wie bei den Impressionisten, verschiedene Tageszeiten darstellen. Bei diesen Ansichten ist die Komposition immer klar strukturiert und die Formen sind stark vereinfacht, bei *Höfchen in Chartres* (Kat. 18) sind die Häuser z.B. als geometrische Figuren wiedergegeben.

Sehr präzise Entwürfe, farbig oder in Bleistift, in Skizzenbüchern oder als selbständige Blätter gehen den Drucken voraus. Der Einsatz von Licht- und Schattenzonen ist gezielt angegeben und die Farbigkeit genau festgelegt; bei *Häuschen – Bellevue* ist die Verwendung zweier übereinandergedruckter Farben für die Darstellung des Weges schon geplant. Für die meisten Pariser Porträts sind Kohlezeichnungen vorhanden, die den Drucken in jeder Einzelheit entsprechen – allerdings ohne den Hintergrund. Münter ging an die Ausführung ihrer Drucke mit großer Überlegtheit heran und überließ nichts dem Zufall.

Die Entwürfe können viel älter sein als die druckgraphische Umsetzung, wie bei der *Kleinen Holländerin*, die auf einen Entwurf von 1904 zurückgeht. Dieser Druck unterscheidet sich, ähnlich wie *Im Café I* (Kat. 24) und *Im Café II* (Kat. 25), von den anderen Pariser Arbeiten. Es handelt sich nicht um Flächenkunst, sondern um eine Zeichenkunst, in der die Linie zum wichtigsten Ausdrucksträger geworden ist, so daß sie eher an Lithographien erinnern. Der Druck *Im Café II* steht einer Lithographie Felix Borchardts[41] nahe (Abb. 6), die in der Zeitschrift *Tendances Nouvelles* vom 30. Mai 1906[42] abgebildet worden war. Münter las diese Zeitschrift, wie es einem Brief Kandinskys zu entnehmen ist: »Du hast gestern die ›Tendances‹ u. die Drucke vergessen.«[43] Die drei bereits erwähnten Drucke Münters wurden im Juni 1908 ebenfalls in der *Tendances Nouvelles* abgebildet.

In Paris stellte Münter öffentlich aus, zunächst im Frühjahr 1907 im Salon des Indépendants sechs Ölstudien,[44] einige Monate später im Salon d'Automne fünf Drucke mit Porträts und einer Kinderdarstellung. Im Salon d'Automne von 1908 zeigte sie *Kandinsky am Harmonium* sowie sechs Park- und Straßenansichten. Die Kritik bereitete ihr einen guten Empfang.[45] Gérôme-Maësse – dessen Name wahrscheinlich als Pseudonym für Mérodack-Jeaneau steht[46] – schrieb positiv über den Holzschnitt *Neujahrswunsch 1909* (Kat. 37). Seine Kritik zeigt, daß Münters Kunst als sehr persönlich empfunden wurde: »Ich habe im vergangenen Winter, ohne es zu erwarten, an einem klaren Schneemorgen einen Holzschnitt von Gabriele Münter erhalten, einen farbigen Druck so groß wie eine Handfläche, mit Ziegelrot, Gelb, Grün und Blau eingefaßt und auf einem rauhen grauen Karton aufgeklebt. Darauf waren – anläßlich des Neuen Jahres – in den wiederholten und reizenden Farben des Randes, ein großer Kuchen auf einem Teller, ein kleiner Blumentopf und ein außergewöhnlicher Vogel in Frack, Weste und Hose versammelt. Nichts auf persönlichere Weise Humorvolles, Delikateres und Spontaneres als diese Fantasie.«[47]

Im Juni 1907 kehrte Gabriele Münter nach Bonn zurück. Der Aufenthalt in Paris hatte ihr zu einem selbstbewußteren Umgang mit der Technik des Linol- und Holzschnitts und zu Ausdrucksformen verholfen, die ihre zeitgleich im impressionistischen Stil gemalten Ölbilder noch nicht aufwiesen: die Flächigkeit der Komposition und vereinfachte Formen mit starken Umrissen. Diese zunächst nur für ihre Druckgraphik charakteristischen Merkmale finden sich ein Jahr später auch in den in Murnau entstandenen Gemälden wieder und in den Hinterglasbildern, die sie ab 1909 schuf. Zu dieser stark reduzierten bildnerischen Formulierung gelangte sie jedoch nicht allein durch die

6 Felix Borchardt, *Frauenkopf*, Lithographie

technischen Vorgaben des Holz- bzw. Linolschnitts, sondern aus einem tiefen inneren Bedürfnis nach künstlerischer Erneuerung. Das zeigen die zahlreichen Entwürfe zu ihrer Druckgraphik, die diese Merkmale schon beinhalten. Holzschnitte wie *Im Café I*, *Im Café II* oder die *Kleine Holländerin*, die eher holzstichartig gearbeitet sind, bleiben Ausnahmen und zeigen, daß Münter auch anders gestalten konnte.

Angeregt von französischen Künstlern, schuf Münter in Paris ein sehr persönliches druckgraphisches Werk, so daß man mit Kandinsky sagen kann: »Gabriele Münter machte ihre Ohren weit auf, und mit echter künstlerischer Liebe hörte sie nicht nur die französische Sprache, sondern jede beliebige aus jeder Zeit und jedem Land. Und sie ist trotzdem...sie selbst geblieben, und ihre Bilder blieben unverkennbar.«[48]

1 Brief, Gabriele Münter- und Johannes Eichner-Stiftung, München (im folgenden: GM-JE-St.)

2 *Das bunte Leben. Wassily Kandinsky im Lenbachhaus*, Ausst.Kat.München 1995, S. 159

3 Gisela Kleine, *Gabriele Münter und Wassily Kandinsky. Biographie eines Paares*, Frankfurt/Main 1990, S. 236

4 Hans Konrad Roethel, *Kandinsky. Das graphische Werk*, Köln 1970, S. 427

5 Jonathan Fineberg, *Kandinsky in Paris 1906–07*, Ann Arbor 1984, S. 39

6 Annette Gautherie-Kampka, *Les Allemands du Dôme. La colonie allemande de Montparnasse dans les années 1903–1914*, Bern 1995, S. 289

7 Johannes Eichner, *Kandinsky und Gabriele Münter. Von Ursprüngen moderner Kunst*, München 1957, S. 42

8 zit. nach Gabriele Münter, *Bekenntnisse und Erinnerungen* in: G. F. Hartlaub (Hrsg.), Menschenbilder in Zeichnungen, Berlin 1952, o. pag.

9 Gautherie-Kampka 1995, S. 34

10 ebenda, S. 13

11 *Paula Modersohn-Becker 1876–1907, Retrospektive*, Ausst.Kat.Städtische Galerie im Lenbachhaus, München 1997, S. 321

12 Hinweis von Laurence Bourgade

13 zit. nach Guillaume Apollinaire, *Chroniques d'art 1902–1918*, Textes réunis avec préface et notes par L.-C. Breunig, Paris 1960, S. 503

14 Gautherie-Kampka 1995, S. 32

15 ebenda, S. 96f.

16 Fineberg 1984, S. 49

17 Kleine 1990, Anmerkung 60 S. 697

18 Gautherie-Kampka 1995, S. 339

19 *Pariser Begegnungen 1904–1914*, Ausst.Kat.Wilhelm-Lehmbruck-Museum der Stadt Duisburg 1965, o. pag.

20 Für die Ausstellungen in Paris in den Jahren 1906–07 siehe: Fineberg 1984, Kap. 4; Donald E. Gordon, *Modern Art Exhibitions 1900–1916*, München 1974; Kleine 1990, Kap. 8; *La Chronique des Arts et de la Curiosité*, supplément à la Gazette des Beaux-Arts, Paris

21 Städtische Galerie im Lenbachhaus, GMS 1129, S. 5

22 Eichner 1957, S. 52

23 *Georges Rouault*, Ausst.Kat.Josef-Haubrich-Kunsthalle, Köln 1983, S. 57

24 Pick Koulapkham Keobandith, *La sculpture moderne à Paris 1900–1914*, unveröffentlichte Dissertation 2000, S. 37

25 *Das bunte Leben*, Ausst.Kat., S. 160

26 John Richardson, *A life of Picasso*, vol. I: 1881–1906, London 1991, S. 355

27 zit. nach *Das bunte Leben*, Ausst.Kat., S. 160

28 Städtische Galerie im Lenbachhaus, GMS 1129, letzte Seite

29 Brief vom 10.6.1907 aus Paris, GM-JE-St.

30 zit. nach Hartlaub 1952, o. pag.

31 zit. nach Wilhelm Michel, *Münchner Graphik: Holzschnitt und Lithographie*, in: Deutsche Kunst und Dekoration, Bd. 16, München 1905, S. 448

32 Rudolf Koella, *Félix Vallotton*, in: Nabis 1888–1900, Ausst.Kat.Zürich 1993, Paris 1993–94, S. 260

33 *La Chronique des Arts et de la Curiosité*, supplément à la Gazette des Beaux-Arts, Paris, N° 20 vom 19. Mai 1906, S. 157

34 Jean-Luc Daval, *Journal de l'art moderne 1884–1914*, Genève 1973, S. 142

35 *Von Gabriele Münter bis Georg Baselitz. Die Geschichte des Linolschnitts*, Ausst.Kat.Städtische Galerie Bietigheim-Bissingen 1994, S. 28

36 zit. nach Hartlaub 1952, o. pag.

37 Michel 1905, S. 449

38 *Gabriele Münter. The Years of Expressionism 1903–1920*, Reinhold Heller, Ausst.Kat.Milwaukee Art Museum, Milwaukee, Wisconsin, Dez. 1997–März 1998, Columbus Museum of Art, Columbus, Ohio, April–Juni 1998, S. 114

39 Françoise Cachin *Le portrait de Fénéon par Signac: une source inédite* in: Revue de l'art, 6, 1969, S. 90–91

40 zit. nach *Mecklenburger Nachrichten* vom 4.9.1910

41 Deutscher Maler (1857–1936), von 1899 bis 1912 in Paris

42 Nr.20, S. 311

43 Brief vom 19.11.1906, GM-JE-St

44 Angaben über Ausstellungen s. Gordon 1974, vol. II, S. 197, 231, 283

45 Kleine 1990, S. 256, 259

46 Fineberg 1984, S. 68

47 zit. nach Gérôme-Maësse *Récents efforts. Dominique Ingels. Thérèse van Hall. Gabrielle Münter* in: Les Tendances Nouvelles, Jg. 4, Nr. 42, Juni 1909, S. 924f.
»J'ai reçu l'hiver passé, sans m'y attendre, et par un clair matin de neige, un bois gravé de Münter; une estampe en couleurs large comme la paume d'une main, liserée de rouge-brique mélangé de jaune, de vert et de bleu et collée sur un carton gris rugueux. Cela réunissait – à l'occasion de l'année nouvelle – sous les tons répétés et délicieux de la bordure, un gros gâteau dans une assiette, un petit pot de fleurs et un extraordinaire oiseau en frac, gilet et pantalon. Rien de plus personnellement bouffon, de plus délicat et de plus spontané dans la fantaisie.«

48 Aus dem deutschen Manuskript des Aufsatzes von Kandinsky *Om Konstnären* (Über den Künstler) anläßlich einer Ausstellung Gabriele Münters in Stockholm 1916. Zit. nach Ausst. Kat. *Gabriele Münter*, Städtische Galerie im Lenbachhaus, München 1962, o. pag.

Margarethe Jochimsen

Frühe Holz- und Linolschnitte in Bonn und Köln

Gabriele Münters erste Einzelausstellungen

Gabriele Münter wird eng mit der Neuen Künstlervereinigung München, dem Blauen Reiter sowie mit München und Murnau in Verbindung gebracht, kaum aber mit der rheinischen Kunstlandschaft oder gar mit Bonn. Daß sie – 1877 in Berlin geboren – von 1884 bis 1898 mit ihren Eltern in Koblenz gelebt hat, in Düsseldorf in der Damenmalschule von Willy Spatz (die Kunstakademie blieb damals Studentinnen noch verwehrt) ein Zeichenstudium durchsetzte, daß sie nach dem Tode ihrer Eltern und einem zweijährigen Aufenthalt bei Verwandten in den Vereinigten Staaten mit ihrer acht Jahre älteren Schwester Emmy 1901 für kurze Zeit eine Wohnung in Bonn bezogen hatte, bevor es sie noch in demselben Jahr zur Fortsetzung ihres Kunststudiums nach München zog, wissen nur wenige. Auch war es im Rheinland, nämlich in Köln und Bonn, wo sie Ende 1907 und 1908 ihre Holz- und Linolschnitte in ersten Einzelausstellungen zeigen konnte.

Eine Erklärung für die relativ geringe Beachtung ihrer rheinischen »Verankerung« mag sein, daß Gabriele Münter in den ersten Jahren des 20. Jahrhunderts noch Studentin war, von ihrem künstlerischen Durchbruch noch einige Jahre entfernt, obwohl ihre außergewöhnliche zeichnerische und malerische Begabung, ihr besonderer Blick auf die Welt, sich künstlerisch sensiblen Menschen damals schon offenbarte, allen voran Wassily Kandinsky, dessen Schülerin sie Anfang 1902 in der Malschule Phalanx in München wurde. Wie aus Zeitungsberichten und anderen Quellen ersichtlich, erfuhr sie mit ihren eigenwilligen bildnerischen Auffassungen, die sowohl in ihren impressionistisch inspirierten Spachtelbildern als auch in ihren klargegliederten, flächigen Farbholz- und Linolschnitten zum Ausdruck kamen, (fast) überall dort, wo sie ihre Arbeiten vorstellen durfte, erstaunliche Beachtung.

Grund für ihre enge Beziehung zum Rheinland, vor allem zu Bonn, war ihr elf Jahre älterer Bruder, der seit 1894 in Bonn lebte und nach dem Tode ihrer Mutter ihr den notwendigen und ersehnten familiären Halt bot. Er verwaltete, wenn auch nicht unbedingt zuverlässig, ihr geerbtes Vermögen, erkannte und förderte aber auch mit großem Engagement ihre künstlerische Begabung. Von Beruf ein nicht sonderlich erfolgreicher Kaufmann, Besitzer einer Kieselquarzwäscherei und einer Kalksandziegelfabrik, war er der Literatur, den Künsten und einem genußvollen Leben zugetan. Mit seiner Frau Mary Quint, Amerikanerin, Sängerin und eine in Bonn und Köln bekannte Gesangspädagogin, und Töchterchen Annemarie bildete er mit Schwester Emmy, die 1901 den Chemiker Georg Schroeter in Bonn geheiratet hatte, und deren Tochter Friedel eine Art »Brückenkopf« für Expeditionen in die rheinische Kunstszene und weit darüber hinaus, aber auch Zufluchtsort für die in München lebende kleine Schwester. So verbrachte die Künstlerin von 1901 bis 1908 mit einer Ausnahme (1906) jährlich oft mehrere Sommermonate bei ihrer Familie in Bonn. Nicht selten dienten diese Aufenthalte der Verarbeitung und Klärung ihrer komplizierten Beziehung zu Kandinsky, mit dem sie sich 1903 während einer Studienfahrt nach Kallmünz heimlich verlobte, obwohl dieser seit 1892 mit seiner Cousine Anja Tschemiakina verheiratet war und mit ihr in München lebte.

Auch die für ihre künstlerische Entwicklung, vor allem für die Gestaltung der Holz- und Linolschnitte, so wichtige Reise nach Paris startete im November 1905 in Bonn. Auf Umwegen trafen Münter und Kandinsky im Mai 1906 in Paris ein, wo sie sich zunächst im Stadtzentrum, dann in einem Landhaus in Sèvres niederließen. Während Kandinsky nahezu jeden Kontakt zur Pariser Avantgarde mied, nutzte Gabriele Münter die Chance der Kunstmetropole, in der seit dem turbulenten Salon d'Automne 1905 die Fauves die Welt in Atem hielten, zu jeder Art künstlerischen Weiterkommens: Sie besuchte Ausstellungen jüngster Kunsttendenzen, beschäftigte sich intensiv mit Gaugin, Rouault, Cézanne, Matisse, Marquet u.a., knüpfte Kontakte mit Galeristen und Sammlern. Vor allem aber arbeitete sie in der Zeichenklasse des bekannten Graphikers und Illustrators Théophile Steinlen an der Académie Grande Chaumière, dessen innovative Ansätze zur Erneuerung der Plakatgestaltung weltweit Beachtung fanden. Die Bemerkung Steinlens bei der Durchsicht ihres Skizzenbuches: »Avec ce dessin vous pouvez arriver à des choses très élevées«[1] spornte sie an, beflügelte sie. Erste Niederschläge ihrer konzentrierten Auseinandersetzung mit den Neoimpressionisten, den Fauvisten, den Künstlern von Pont Aven und den Nabis, vermutlich aber auch mit japanischen und chinesischen Holzschnitten, die seit den 70er Jahren des 19. Jahrhunderts in Paris überall gezeigt und angeboten wurden und Künstler wie van Gogh, Bernard oder Anquetin in ihren Bann schlugen, sind in ihren Arbeiten ablesbar. Die Technik des émail cloisonné, im 19. Jahrhundert in der Manufacture Nationale de Sèvres von Théodore Deck und später dem Graphiker und Zeichner Félix Bracquemond meisterhaft entwickelt, vom Künsterkreis Pont Aven und den Nabis stilprägend auf die Malerei übertragen, beeindruckte sie nachhaltig.

Zum Jahreswechsel 1906/07 schrieb sie ihren Geschwistern hoch befriedigt: »Die Atelierarbeit in Paris hat mir riesig gut getan«[2] und erwähnte, daß sie im Frühjahr im Salon des Indépendants »debütieren« werde. Neben Hunderten von Zeichnungen und vielen Ölbildern entstanden 25 farbige Holz- und Linolschnitte, vorwiegend Porträts, u.a. die von Mme Vernot und M. Vernot, von Mlle Robert, Mme Robert und Kandinsky (Kat.6–10). Aber auch Landschaften und Straßenszenen teils aus ihrer unmittelbaren Umgebung (*Parc Saint Cloud*, Kat.12; *Herbstabend – Sèvres*, Kat.13), teils nach Skizzen von früheren Reisen (*Marabout*, Kat.14) hält sie fest. Insbesondere die bildnerische Auffassung der Landschaften, der weitgehende, bewußte Verzicht auf Perspektive, betont noch durch die Hervorhebung der Horizontalen, die Vermeidung jedweder »Redundanz« zugunsten einer klaren Struktur, die Spannung zwischen bewegten und ruhigen Zonen bei großzügiger Flächigkeit, lassen eine deutliche Veränderung ihres Sehens erkennen, die sehr viel früher als in ihren Bildern in ihren Holzschnitten zum Vorschein kommt. In den Salons d'Automne 1907 und 1908 sowie im Salon des Indépendants 1908 réussiert sie mit nur wenigen Farbholzschnitten: »Es ist erstaunlich, wie schnell Mlle Münter sich einen wahrhaft beneidenswerten Platz erobert hat. Sie entfaltet in ihren Schnitten – unverwechselbar in ihrer Art, die Dinge zu sehen – eine weibliche Sensibilität, vermischt mit einer eigenwilligen Herbheit«[3], so die Zeitschrift *Les Tendances Nouvelles*, in der mehrfach Holzschnitte und Gemälde der Künstlerin vorgestellt wurden (zur Pariser Zeit vgl. auch S.39ff.).

Im Juni 1907 kehrte Gabriele Münter, die Ausbeute ihres Pariser Jahres im Gepäck, allein nach Bonn zurück, wo sie zunehmend unter dem Mißfallen der Familie an der noch immer nicht legalisierten Beziehung zu Kandinsky litt. »Ich fühle, daß ich hier fremd bin und nicht herpasse«[4], ließ sie Kandinsky wissen, der sich mit Rücksicht auf seine Frau Anja zu einer Ehe nicht durchringen konnte, trotz tiefer Zuneigung und dem

Wissen, daß er den Glauben dieser starken, kreativen Künstlerinnatur an ihn dringend brauchte. Einziger Lichtblick und willkommene Ablenkung war das aufmunternde und herausfordernde Angebot des Kölner Kunstsalons Lenobel[5], eine Einzelausstellung – ihre erste überhaupt – ihrer Werke zu veranstalten, auf deren Vorbereitung sie sich voll konzentrieren wollte.

Wie – so fragt man sich – kommt Richard Lenobel, von Haus aus Photograph, seit 1905 Kunsthändler in Köln, dazu, eine nahezu unbekannte Künstlerin zu einer Ausstellung einzuladen? Sehr wahrscheinlich gab es persönliche Kontakte zu Gabriele Münters Bruder Carl. Beide waren zu jener Zeit (1905/06) Mitglieder im Kölnischen Kunstverein, zählten also zum emsigen »Kunstklüngel« im Köln-Bonner Raum. Es ist bekannt, daß auch Carl Münter kunstvermittlerische und kunsthändlerische Ambitionen hegte. So hat August Macke im November 1910 in dessen Haus in der Schloßstraße 26 in Bonn immerhin 31 Werke der Neuen Künstlervereinigung München gesehen, die nach Vorgaben von Kandinsky gehängt worden waren. Im März 1911 hat er sogar, wie er Franz Marc schrieb, einen Kandinsky und eine Münter in seine Wohnung »geschleppt«, um sich damit eingehender beschäftigen zu können.[6] Vermutlich war Carl Münter neben Karl Ernst Osthaus in Hagen der erste »Kunstvermittler«, der Mitglieder der Neuen Künstlervereinigung München (Münter, Kandinsky, Jawlensky, Werefkin) im Rheinland vorstellte und vertrat, lange vor der spektakulären, durch August Macke eingefädelten Übernahme der Ausstellung des Blauen Reiter im Januar 1912 durch den Gereonsklub in Köln.[7]

Die Ausstellung im Kunstsalon Lenobel fand im Dezember/Januar 1907/08 statt. Gabriele Münter erntete für 80 Ölbilder, vermutlich aus dem Fundus ihres Pariser Schaffens, erfreulichen Zuspruch. Hervorgehoben wurde in Pressekritiken die »besondere Kühnheit und ein ungewöhnlicher Strebensernst in diesen, ohne jede Rücksicht auf die Durchschnittsanschauungen geschaffenen Bildchen«[8]. Man spricht von einer reinen »Impressionistin echt pariserischen Stiles«[9] und findet die Kollektion »voll prickelnder Lebendigkeit«[10]. In den übrigen Räumen des Salons sah man Werke u.a. von Hofer, Liebermann und Klinger.

Einige Monate später, wohl im April/Mai 1908, zeigt der Kunstsalon Lenobel in einer zweiten Einzelausstellung 24 Holz- und Linolschnitte von Gabriele Münter, eine Serie, die rekonstruierbar ist und gut zwei Drittel ihrer bis dahin geschaffenen Holz- und Linolschnitte umfaßt.[11] Das in Paris entstandene Holzschnitt-Œuvre hatte während eines achtmonatigen Aufenthaltes der Künstlerin in Berlin (von September 1907 bis April 1908) sowohl thematisch als auch künstlerisch eine bemerkenswerte Bereicherung erfahren: Angeregt durch ihre vierjährige Patentochter Friedel – »Tante Ella mal' mal...« –, die inzwischen mit ihren Eltern von Bonn nach Berlin umgezogen war, ein beliebtes Modell der Künstlerin, ließ sie sich auf die Welt des Kindes ein, gefesselt von dessen Unmittelbarkeit und darstellender Unbekümmertheit, dessen Ernst und wunderbarer Gabe, Dinge zu beseelen. Eine stattliche Reihe origineller Spielzeug- und Kinderholzschnitte, Zeichnungen, ja ein ganzes Bilderbuch aus der Traumwelt des Kindes zeugen von diesen faszinierenden Exerzitien. Mehr der Linie als der Fläche verpflichtet lockert sie ihre straffen kompositorischen Strukturen, indem sie immer wieder einzelne Formen lose einander zuordnet, additiv verfährt, durchaus nach der Vorgehensweise von Kindern (Kat. 31–36).

Über das Echo dieser Ausstellung ist nichts bekannt, wohl aber über deren Wirkung im Kunstsalon Friedrich Cohen in Bonn,[12] wo sie anschließend, im Juni 1908, zu sehen war. So berichtet der General Anzeiger Bonn von »Kinderstubenbildern«, die »in der

Groteskheit der gezeichneten Figuren und Situationen sehr unterhaltsam« seien. Man bescheinigt ihnen »einen gewissen Reiz der Originalität«, aber auch der »saubere, gut abgeschattete Druck« ohne Druckpressse, ganz von Hand, findet lobend Erwähnung.[13]

Nach 1908 verringern sich Münters Besuche in Bonn deutlich, was wohl nicht nur auf das unverändert angespannte Verhältnis zu Bruder und Schwägerin zurückzuführen ist, sondern auch auf den Erwerb eines eigenen Hauses in Murnau auf Betreiben Kandinskys. Im Juli 1911 kommt sie wieder zu »ihren Leuten« nach Bonn.[14] Zum einen, um von hier aus in wichtigen Museen, Kunstvereinen und Galerien im Rheinland (Hagen, Barmen, Düsseldorf, Köln, Essen u.a.) Ausschau nach Ausstellungs- und Verkaufsmöglichkeiten für sich, aber auch für die Münchner Künstlervereinigung zu halten. Zum anderen, um auf Drängen Kandinskys den ideensprühenden, aufgeschlossenen August Macke für eine Mitarbeit an dem geplanten Almanach *Der Blaue Reiter* zu interessieren. Zum ersten Mal trifft Gabriele Münter den zehn Jahre jüngeren Künstler im August 1911 bei ihrem Bruder Carl. Es muß Sympathie auf den ersten Blick gewesen sein. Mehrere Besuche im Hause August und Elisabeth Mackes (heute August Macke Haus) in der Bornheimer Straße in Bonn folgten. Die Begeisterung war groß: »Fräulein Münter ist ganz hervorragend«, berichtet Macke Franz Marc, »ich bin direkt verliebt in sie. [...] Ich möchte mich immer mit ihr unterhalten, aber ... aber – ich trau mich nicht. Der reizende Bruder ist immer mit der Gießkanne in ihrer Nähe.« Und er fügt hinzu: »Von meinen Sachen scheint sie einen ganz guten Eindruck zu haben«[15]. Diesen Eindruck schildert Gabriele Münter Kandinsky brieflich zehn Tage später: »Macke ist, glaube ich, ernstlich begabt – ich predige ihm Innerlichkeit, Persönlichkeit, weg vom »Modernen«. Er ist noch äußerlich, ich finde aber, daß immer Gefühl in seinen Sachen ist. [...] Eine reine anständige Natur scheint er zu sein«[16]. Macke seinerseits, der allerdings nur wenige Bilder von ihr kannte, äußerte Marc gegenüber sein Gefühl, »daß sie stark zum Geheimnisvollen [...] neigt. Es ist etwas ›Deutsches‹ darin, etwas Altar- und Familienromantik. Ich habe sie sehr, sehr gern. Aber« – so wägt er ab – »lieber habe ich Kandinsky doch«[17].

Gabriele Münters »Werbung« fiel, wenn auch zunächst nicht bei den rheinischen Museen, so doch bei August Macke auf fruchtbaren Boden. Er ließ sich für die Idee des Blauen Reiter gewinnen: Eine neue, tragfähige und kunstpolitisch äußerst fruchtbare Verbindung, ein reger Austausch zwischen Murnau und Bonn, zwischen München und dem Rheinland, bahnte sich an. Gabriele Münter war stets aktiv daran beteiligt.

1 *Gabriele Münter, Bekenntnisse und Erinnerungen,* in: Gustav Friedrich Hartlaub (Hrsg.), Gabriele Münter, Menschenbilder in Zeichnungen, Berlin 1952, S. 21
2 Zitiert nach Gisela Kleine, *Gabriele Münter und Wassily Kandinsky,* Taschenbuch 1. Aufl., Frankfurt 1990, S. 251
3 *Les Tendances Nouvelles,* Jg. 4, Nr.39, November 1908, S. 835
4 Brief Gabriele Münters an Wassily Kandinsky vom 30.Juli 1907, zitiert nach Gisela Kleine, a.a.O., S. 274
5 Der Kunstsalon Lenobel wurde von dem Photographen Richard Lenobel im September 1905 in Köln, Kreuzgasse 22, eröffnet. Anläßlich dieses Ereignisses berichtet der Stadt-Anzeiger Köln am 4.9.1905 von einer Kunstanstalt, die »sehr elegant ausgestattet« sei und die als »weiteres Förderungsmittel künstlerischer Anregungen« in Köln begrüßt werde. Das Angebot zwischen 1906 und 1910 verzeichnet Gemälde Alter und Moderner Meister, Stiche, Aquarelle und »Übernahme von Gemälden zum freihändigen Verkauf«. Ab 1910 – inzwischen in eine GmbH umgewandelt – handelt er vorwiegend mit Antiquitäten, antiken Original-Möbeln und Bronzen neben Gemälden. Im März

1911 werden die Kunstgegenstände wegen Geschäftsaufgabe im Auktionshaus Rudolf Bangel in Frankfurt a.M. versteigert.
6 Vgl. Brief August Mackes an Franz Marc vom 27. März 1911, in: Wolfgang Macke (Hrsg.), August Macke – Franz Marc, Briefwechsel, Köln 1964, S. 51
7 Vgl. Der Gereonsklub 1911–1913 – Europas Avantgarde im Rheinland, Schriftenreihe Verein August Macke Haus Bonn Nr.9, Bonn 1993
8 *Kölner Tageblatt* vom 9.Januar 1908
9 *Stadt-Anzeiger Köln* vom 14.Januar 1908
10 *Rheinische Zeitung* vom 7.Januar 1908
11 Siehe Verzeichnis der Sonderausstellungen von Gabriele Münter, in: Johannes Eichner, *Kandinsky und Gabriele Münter,* München 1957, S. 213
12 Der Kunstsalon Friedrich Cohen in Bonn war weniger auf ein avantgardistisches Programm als auf wirtschaftlichen Erfolg ausgerichtet. Dennoch zeigte er 1906 Worpsweder Künstler, 1907 Grafiken und Gemälde der frühen Brücke, 1908 farbige Holzschnitte von Gabriele Münter und 1913 die legendäre, von August Macke organisierte »Ausstellung Rheinischer

Expressionisten«. Vgl. Ruth Diehl, *Die Kunstszene Bonn am Ende des Kaiserreichs,* in: Die Rheinischen Expressionisten 1913 – Der Schock der Moderne in Bonn, Schriftenreihe Verein August Macke Haus Bonn Nr.8, Bonn 1993
13 *General Anzeiger Bonn* vom 16.Juni 1908
14 Aus dieser Zeit stammt das einzige uns bekannte Bild Gabriele Münters, nämlich *Blick vom Balkon des Bonner Hauses,* 1911, das ein Bonner Motiv aufweist.
15 Brief August Mackes an Franz Marc vom 3.August 1911, in: Wolfgang Macke (Hrsg.), a.a.O., S. 63ff.
16 Brief Gabriele Münters an Wassily Kandinsky vom 13. August 1911, in: Annegret Hoberg, *Wassily Kandinsky und Gabriele Münter,* München 1994, S. 126
17 Brief August Mackes an Franz Marc vom 1. September 1911, in: Wolfgang Macke (Hrsg.), a.a.O., S. 70

Brigitte Salmen

Gabriele Münter und Murnau

Gabriele Münters Beschäftigung mit druckgraphischen Techniken durchzieht auch ihre mit Murnau verbundenen Lebensphasen: Die Jahre 1908–1914, die sporadischen Aufenthalte in den 1920er Jahren und schließlich die beständige Zeit von 1931 bis zu ihrem Tode 1962. In diesen Zeiträumen entstanden mehr als 20 Blätter sowie weitere 14 mit Motiven vom nicht weit entfernten Schloß Elmau.

Als Gabriele Münter gemeinsam mit Wassily Kandinsky, Marianne von Werefkin und Alexej von Jawlensky im August 1908 zu einem Studienaufenthalt nach Murnau kam, hatte sie sich zuvor auch intensiv mit der Holzschnittechnik beschäftigt. Anfänglich in München, dann 1906/07 in Paris hatte sie das Bearbeiten von Hochdrucken weiterentwickelt und ihre neuen Erfahrungen in gestalterisch und technisch anspruchsvollen Farbholz- und Linolschnitten umgesetzt. Die in diesen Porträts, Orts- und Parkansichten erarbeiteten Bildstrukturen kamen ihrer grundsätzlichen Neigung zu klarer, zeichnerisch-linearer Gestaltungsweise entgegen. Sie waren für sie der »Versuch vereinfachter Formgebung und flächig gebreiteter Farbgebung«[1], wie der Hochdruck es nahelegte.

Dieses Interesse an Linearität und flächiger Farbigkeit war vorbereitend für ihre neue Malweise in Murnau. In dieser Umgebung kamen seit Herbst 1908 Momente hinzu, die den Weg zu expressiver Malerei entscheidend ebneten. Die ersten Wochen in Murnau waren beherrscht von intensiven Eindrücken und setzten eine neue Seh- und Malweise frei, die sie in einer Vielzahl von Ölskizzen festhielt. Münter war »voll von Bildern des Ortes und seiner Lage« und erfaßte immer mehr »die Klarheit und Einfachheit dieser Welt«, die sich ihr in Gestalt des kleinen Ortes und seiner Umgebung, der weiten Ebene des Murnauer Mooses und dem im Süden sich unvermittelt erhebenden Panorama der je nach den Lichtverhältnissen flächig gestaffelt wirkenden Berge des Alpenrandes darbot. Und diese Landschaft erschien bei unterschiedlichem Standort in immer wieder neuem, überraschendem Aufbau und in intensiven Farben: »Jetzt waren die Motive da, die wie von selbst das Einfache, Starke, Ruhende in ihrer inneren Artung zum Ausdruck brachten.«[2] Zuvor hatte sie nirgends »eine solche Fülle von Ansichten vereint gesehen, wie hier in Murnau, zwischen See und Hochgebirge, zwischen Hügelland und Moos.«[3]

Wie 1903 in Kallmünz photographierte sie in dieser ersten Zeit in Murnau in den Straßen des Ortes und in der Landschaft. Parallel zu ihren Zeichnungen und Gemälden geben diese Photos einfache, unspektakuläre Winkel und Gassen des Ortes und der Landschaft wieder. Sie verraten ihre Art, die realen Dinge in nahsichtiger Komposition wahrzunehmen und etwa in Häuseransichten und Straßeneinblicken das Ausschnitthafte zu erfassen. Die klar umrissenen Strukturen der gewählten architektonischen Motive, die dem Bild mit ihren geometrischen Konturen ein festes Gerüst gaben, kamen ihren gestalterischen Zielen entgegen.

Dem Streben der damaligen Avantgarde nach Natürlichkeit und Originalität folgend, hatten Münter und Kandinsky auf ihrer Suche nach einem dauerhaften Wohnsitz in ländlicher Umgebung Murnau entdeckt. Hier fanden sie ländliche Einfachheit und volkstümlich-traditionelles Leben, dem sie sich in der Kleidung und der Inneneinrichtung des 1909 von Münter gekauften Hauses, bei Gartenarbeit und Besuchen volkstümlicher Veranstaltungen einfügten. So ist es nicht überraschend, daß Münter, die kleine volkstümlich-religiöse Objekte und Holzspielzeug zu sammeln begann, auch auf die volkstümliche Hinterglasmalerei aufmerksam wurde. Anlaß dazu gab eine Sammlung von über 1000 meist volkstümlichen Hinterglasbildern, die der Murnauer Braumeister Johann Krötz zusammengetragen hatte, ein in damaliger Zeit noch ungewöhnliches Sammlungsinteresse. Diese Bilder stammten größtenteils aus Murnau und seiner Umgebung, wo die Hinterglasmalerei seit dem späten 17. Jahrhundert heimisch war und sich im späten 18. und im 19. Jahrhundert in hausgewerblicher Herstellung zu routiniert ausgeführten, formreduzierten und flächigen Bildformen entwickelt hatte. Andere Beispiele waren in Ostbayern im Umfeld der Glashütten entstanden.

Die meist religiösen Bildmotive, die mit sicherem, knappem Strich in konturierten Flächen und in leuchtenden Farben gemalten Hinterglasbilder des 18. und 19. Jahrhunderts vermittelten ihr die ungekünstelte, unverfälschte Ausdruckskraft, nach der sie auch in ihrer Malerei strebte. Diese volkstümlichen Vorbilder bestärkten sie wie die Murnauer Landschaft mit ihrer kulissenhaften Struktur und den klaren Farben in ihrer reduzierten, klar strukturierten, farbig-dekorativen Malweise. Nach anfänglichem Kopieren alter Hinterglasbilder malte sie mit Begeisterung kleine ländliche Ansichten und figürliche Motive in dieser Technik. Auch hier arbeitete sie, wie traditionell üblich, nach Entwürfen und mit seitenverkehrten Vorzeichnungen. Im Vergleich zur Hochdrucktechnik jedoch war das Malen hinter Glas in dieser schlichten Gestaltungsweise leichter zu handhaben.

So war die erste Murnauer Zeit, 1908–1911, vor allem von der Öl- und Hinterglasmalerei bestimmt. Die Beschäftigung mit der in der Ausführung mühevolleren Hochdrucktechnik, in der sie in den Jahren 1906/07 fast ein Viertel ihrer gesamten graphischen Blätter geschaffen hatte, trat zurück.

Lediglich drei kleine – anders als ihre sonstigen, im Handdruck hergestellten Holz- und Linolschnitte – im Maschinendruck vervielfältigte Farbholzschnitte gestaltete sie als Neujahrsgrüße jeweils zum Jahreswechsel 1909, 1910 und 1911 (Kat.37, 38, 40). Auch diese schlichten, bunten, auf weißen Grund gesetzten Spielzeugfiguren waren wie

1 Blick auf das Haus Johannisstraße 18 (Beurer, Hausname »Thomerl«), Photo: Gabriele Münter, 1908/09, Gabriele Münter- und Johannes Eichner-Stiftung, München, Inv.Nr.2311

schon die früheren aufwendigen und die später folgenden Holz- und Linolschnitte nach Skizzen und genauen Werkzeichnungen gearbeitet. Sie waren, offenbar als einzige ihrer druckgraphischen Blätter, auch für den Verkauf im Schreibwarenhandel gedacht, wie sie in ihrem »Hauskatalog« vermerkt. Vom Neujahrsgruß für 1911 zum Beispiel verkaufte sie 50 Exemplare an Schmidt-Bertsch.[4] In diesen Neujahrsgrüßen klingt wiederum ihr Interesse an der Welt der Kinder an, das sich im Sammeln von Kinderkunst seit 1908 äußerte, in ihrer Photographie wie auch in Kinderdarstellungen in Zeichnungen, Gemälden und in den acht Farbholzschnitten der Kinderdarstellungen und der Spielzeugserie, die sie 1907/08 in Berlin schuf.

In dieser ersten Murnauer Zeit entsteht der Farbholzschnitt *Heuhaufen* (Kat. 39), mit dem sie in Technik, Format und Farbcharakter an ihre in Paris gearbeiteten Farbholzschnitte anknüpft.

Dieser seit Herbst 1908 offenbar erste und bis 1912 einzige größerformatige Farbholzschnitt, den sie in mehreren Farbvarianten ausführte, gibt ein damals typisches Charakteristikum der Murnauer Landschaft wieder: sogenannte »Strahdrischen«, bis zu vier Meter hoch aufgeschichtete Hügel aus geschnittenem Schilfgras der Moorwiesen, das als Stallstreu verwendet wurde. Diese Strahdrischen standen am Rande des Murnauer Mooses, bis die Streu im Winter zu den Bauernhöfen transportiert wurde.

Die Sonderstellung dieses Farbholzschnittes in jenen Jahren, seine Beziehung zu den Blättern von 1906/07, Entwurfsskizzen im Skizzenbuch von 1909 sowie die Registrierung des Blattes als Nr. 25 vor den drei Neujahrsgrüßen,[5] erlauben die Frage, ob Münter 1909 in Murnau zunächst an ihre in Paris entstandenen Blätter anschließen wollte, dies aber angesichts der neuen Anregungen durch Volkskunst und Hinterglasmalerei wieder aufgab und sich zunächst auf die schlichten Neujahrsgrüße beschränkte.

Das Motiv dieser imposanten Gebilde griff sie mehrfach in Gemälden, Hinterglasbildern auf, zuletzt 1935 in einem Neujahrswunsch in Holzschnittechnik in noch stärkerer Vereinfachung der Formen und im Schwarzweiß-Kontrast (Kat. 88).

2 Hinterglasbilder-Wand in der Wohnung Ainmillerstraße 36, München, Photo: Gabriele Münter, ca. 1913, Gabriele Münter- und Johannes Eichner-Stiftung, München, Inv. Nr. 2188

3 »Strahdrischen« im Murnauer Moos, um 1950,
Photo: Erika Groth-Schmachtenberger, Murnau,
Schloßmuseum Murnau

Erst 1912 gestaltete Münter auf Bitten Herwarth Waldens wieder Holzschnitte für dessen Avantgarde-Zeitschrift für Kunst und Kultur »Der Sturm«, begleitend für Münters erste Einzelausstellung in seiner gleichnamigen Galerie Anfang 1913. Nach Werken von Künstlern der europäischen Avantgarde und der »Brücke« kamen in seiner »Sturm«-Zeitschrift und Galerie 1912 und 1913 Werke des »Blauen Reiters« hinzu. In den Ausgaben November und Dezember 1912 erschienen von Münter *Bauarbeit* und *Blumengießen*, im Januar, März und Mai 1913 *Neujahrswunsch* (Kat. 43), *Bauernfamilie* (Kat. 44) und *Habsburger Platz*. In diesen jeweils Alltags- oder Arbeitsszenen schildernden Schwarzweißdrucken erscheinen kantige, wie Spielzeug wirkende Figuren nahezu ohne Binnenstrukturen und Schatten auf freier Fläche.

Während die übrigen drei wohl Motive in München wiedergeben, wollen *Neujahrswunsch* und *Bauernfamilie* ländliche Ursprünglichkeit und einfaches Leben nach Murnauer Vorbild vermitteln. Die Bauernfamilie vor ihrem Haus, mit Misthaufen, Hühnern und Hund hatte sie 1911 in einem Gemälde dargestellt.[6] Die idyllische Szene mit der harmonisch in sich ruhenden, fast horizontal aufgereihten Gruppe wird ein bis zwei Jahre später – wie durchgehend in ihrem Werk sorgfältig nach Entwurfskizzen und Vorzeichnungen – zu einer formal vereinfachten, statisch und verhärtet wirkenden Szene, die freistehend in Negativform weiß aus dem schwarzen Grund heraustritt.

Die vielfigurige, Stroh bindende Bauerngruppe im *Neujahrswunsch*, die von »Sommerfrischlern«, einer Familie und einem bürgerlich gekleideten Mann mit Rucksack, beobachtet wird, ist schwarzkonturig auf den weißen Grund gebracht. Die erste von drei Fassungen ist von kräftigen parallelen Stegen durchzogen, wohl unter dem Einfluß der aktuellen Graphiken der Brücke-Künstler. Nach weiterer Bearbeitung des Holzstocks sind diese in der dritten Fassung des Blattes verschwunden und Landschaft, Haus und Figuren stehen nun vor glattem weißem Hintergrund. Auch dieser ungewöhnlich kleinteiligen Szene liegen mehrere Entwürfe und eine Werkzeichnung zugrunde, jedoch keine Gemäldefassung.

In dieser Holzschnittserie kommt eine neue, auf starken Schwarzweiß-Kontrast setzende Form zum Ausdruck, wie sie auch ihre Münchner und Berliner Künstlerfreunde und -kollegen betonten. Die hier von Münter bevorzugten bäuerlichen Motive treten nicht nur in ihrer gleichzeitigen Malerei, sondern zum Beispiel auch in ihrer Hinterglasmalerei auf, wie der *Bauersfrau mit Kindern* 1909/10 [7] oder auch an einem Glaspokal um 1910. [8]

Zur Veröffentlichung einer höheren Auflage entstanden für das Katalogfaltblatt der aus Berlin übernommenen Kollektivausstellung ihrer Werke im Neuen Kunstsalon Dietzel 1913 in München zwei Fassungen des Themas *Straße mit Hund* (Kat. 46, 47). Dieses ihr wichtige Bildthema, das eine Ansicht des Murnauer Schlosses und des ehemaligen Pfarrhauses wiedergibt, hatte sie bereits 1911 in zwei Gemälden unter dem Titel *Das gelbe Haus* ausgeführt. [9] Hier erscheint es – nach einer etwas kleineren, seitenrichtigen Tuschezeichnung [10] – erstaunlicherweise seitenverkehrt zur realen Situation, wie sie die Gemälde zeigen, und in vignettenhaftem Format. Es zeigt massive Gebäudefronten: die erhöhte Westfassade des Schlosses und die der Nachbarhäuser vor der vorn bis zur Bildmitte gestaffelten, horizontalen Wegführung. Anders als die 1911 durch Kargheit sowie farbliche Kühle bestimmten großformatigen Gemälde sind die beiden Holzschnittvarianten in der Mitte des Vordergrundes durch einen Hund belebt.

Im gleichem Jahr gestaltete Münter ebenfalls für dieses Ausstellungsfaltblatt und entsprechend kleinformatig nach zwei Entwürfen erstmals das eigene Haus (Kat. 48). Es steht erhöht im Hintergrund, umrahmt von wuchernden Bäumen und Büschen, die in abstrahierter Form mit ins Ornamentale reichenden Binnenstrukturen erscheinen.

Diese Holzschnittmotive sind breitflächiger, mit einer Ausnahme menschenleer und auf die Hauptformen von Architektur, Straßen und Pflanzen konzentriert, so daß eine kontrastreichere Bildwirkung entsteht.

Nach den Jahren in Skandinavien, die seit 1916 von der Trennung von Kandinsky überschattet waren, kehrte Münter wieder nach Deutschland, zunächst nach Berlin, dann nach Murnau zurück. In den folgenden Jahren, insbesondere während ihrer Zeit in Schloß Elmau nahe Garmisch-Partenkirchen, wo sie sich von 1921 bis 1924 mehrfach aufhielt, entstanden insgesamt 15 Radierungen und Lithographien, Techniken, die sie erstmals 1916 in Stockholm gewählt hatte. Nun porträtierte sie Pensionsgäste und

4 Gabriele Münter, *Bauernfamilie*, 1911, Öl auf Karton, 34 x 37,5 cm, Nachlaß-Nr. V 112

5 Gabriele Münter, *Das gelbe Haus I*, 1911, Öl auf Leinwand, 70 x 95 cm, Bez. u. li.: »Mü«, Schloßmuseum Murnau (Sparkasse Murnau)

Nahansichten der Gebirgsvegetation und der winterlichen Landschaft. Die in zarten Linien erfaßten Motive entstanden parallel zu den von ihr bevorzugten Bleistiftzeichnungen, in denen sie Bekannte oder ihr zufällig begegnende Menschen erfaßte.

In fünf zwischen 1921 und 1924 entstandenen, relativ großformatigen Radierungen knüpft sie an strichgenaue, realistische Darstellungsformen an, die an Anfangsgründe naturalistischer Zeichenkunst erinnern. Hier trifft teilweise zu, was sie 1952 über das Porträtzeichnen kritisch äußerte: »Man kann ein Porträt auch zu ähnlich machen wollen, ähnlicher, als der Mensch in der Natur erscheint.«[11] Die Blätter erinnern in ihrer Gestaltung an ein Jahre später offiziell propagiertes Menschenbild – ungewollt, denn: »Ich habe die Aufgabe niemals darin gesehen, ›den Menschen unserer Zeit‹ zu malen.«[12] Diese im Vergleich zu Münters anerkannter Zeichenkunst auffallend überzeichneten Gesichter entsprachen möglicherweise dem Wunsch und Geschmack der Dargestellten.

In weiteren, kleinerformatigen Radierungen und Lithographien kehrte sie 1924 zu ihrer umrißbestimmten Form der Zeichnung zurück und es bestätigte sich ihre Beobachtung: »Ein Porträt glückt bloß, wenn es sich sozusagen von selbst malt.«[13] In diesen Blättern, zum Beispiel *Mutter und Kind* zeigt sich die von ihr meisterhaft beherrschte knappe Strichführung und Abstrahierung. Das Motiv vermittelt zugleich Intimität und Bedürfnis nach enger persönlicher Beziehung, wie sie selbst sie in diesen Jahren verstärkt suchte und wie sie auch in Bleistiftzeichnungen und Hinterglasbildern immer wieder zum Ausdruck kommt.

Das einzige in diesen Jahren entstandene Motiv einer Murnauer Straße, eine kleine Kaltnadelradierung, hat in ihrem zarten, unruhigen Strich skizzenhaften Charakter und entspricht eher einer Entwurfszeichnung, wie sie oft ihren Gemälden, Aquarellen usw. vorausgingen.

Nachdem Münter 1931 nach Murnau zurückgekehrt war, knüpfte sie zunächst eng an ihre erste Murnauer Schaffenszeit an. Es entstanden Gemälde und Aquarelle, deren Kompositionen, Formen und Farben auf die frühen Murnauer Landschaften und Stilleben zurückgehen, einzelne Bildentwürfe sind Wiederholungen ihr wichtiger früher Werke. Auch druckgraphische Blätter entstanden in diesen Jahren. Die bisher um 1924 datierte Kaltnadelradierung (Kat. 75) ist vermutlich ihrem Neubeginn in Murnau zuzurechnen. Ihr klarer, fester Strich und das mit dem Dorfkreuz links betont dörfliche Erscheinungsbild entsprechen einer wenig größeren Zeichnung mit etwas größerem Bildausschnitt und zwei weiteren, 1931 entstandenen Blätter, die sie vom gleichen Motiv zeichnete.[14] Eine Entstehung der Szene nach ihrer Rückkehr nach Murnau ist also möglich und entspräche ihrer erneuten Aufmerksamkeit für schlichte, ländliche Motive in Murnau.

Dies gilt auch für dreizehn kleine Holzschnitte aus den Jahren 1931 bis 1935, die neben einem abstrakten Motiv, einem Stilleben und zwei weiblichen Porträts ihr eigenes Haus und andere Ansichten Murnaus und seiner Landschaft aufgreifen. Ob diese kleinen Blätter, in denen sie wiederum auf Farben verzichtete und sich auf Schwarz und Weiß beschränkte, für eine größere Vervielfältigung oder zur Veröffentlichung gedacht waren, ist unbekannt.

In ihnen kehrte Münter zu prägnanter Kontrastierung und (mit einer Ausnahme) zu breitflächigen Formen zurück, wie sie sie für die Holzschnitte im »Sturm« gewählt hatte.

Die ihrer nächsten Umgebung entnommenen Motive erscheinen nun in weiter verdichteter Form und in größter, zum Teil fast abstrahierender Formreduzierung. Sie sind eng in ihr Bildfeld eingespannt. In *Waldweg* (Kat. 76), mischt sie Pflanzen und Bäume in

Positiv- und Negativgestaltung. In ähnlich reduzierter Darstellungweise verwächst *Gabriele Münters Haus in Murnau* mit den nebenstehenden Bäumen (Kat. 77). Der Linolschnitt *Schattenstreifen* (Kat. 78), der das Kompositionsmuster des in kraftvoller Malweise und Farbigkeit gestalteten Gemäldes *Weg zur Fürstalm*[15] des gleichen Jahres aufgreift, deutet die flächigen Farbstrukturen in abstrahierte Licht- und Schattenzonen um. In den beiden Ansichten *Murnauer Moos I* und *II* (Kat. 81, 82) zeichnet sie entsprechend ihrem 1935 entstandenen Gemälde *Landschaftsskizze mit Wetterstein*[16] das Landschaftspanorama des Murnauer Mooses mit Blick auf das Wettersteingebirge nach. Knappe schwarze Konturen und Flächen geben in unterschiedlicher Abstrahierung die Weite und die Abstufungen des Mooses und des Gebirges wieder, vor denen rechts das Dorf Hagen liegt (Kat. 82). Zwei Murnauer Ortsansichten sind von den schlichten, blockhaften Formen von Häusern und Wegen bestimmt (Kat. 83, 84). *Heuaufladen* (Kat. 85)[17] zeigt weiß vor schwarzem Grund ein Ochsenfuhrwerk, das von vier Bauern mit Heu beladen wird, vor kürzelhaft skizziertem Landschafts- und Dorfhintergrund. Es erinnert an die Bauernszenen für den »Sturm« 1912/13, ist jedoch nahsichtiger und die spitzkantigen, meist dünnen Konturen und Formen geben der Szene einen lebendigeren Ausdruck. Nach kleinen intimen Porträts einer schlafenden Frau, dem ein gleichzeitiges Gemälde entspricht,[18] und dem weißgrundigen *Neujahrswunsch* für 1934 (Kat. 87), der in kompakten schwarzen Konturen eine schreibende Frau, vielleicht ihre damalige Haustochter Gerla wiedergibt, gestaltete sie zuletzt den *Neujahrswunsch* für 1935 mit dem fast die ganze Bildfläche füllenden Motiv der »Strahdrischen«.

In diesen kleinen verdichteten, überwiegend von breiten Konturen fest umschlossenen Bildern, die Münter seit ihrer endgültigen Rückkehr nach Murnau 1931 gestaltete, betonte sie ihre enge Bindung an die nächste Umgebung. Angesichts der äußeren Umstände, der zunehmend politisch bedrohlichen Lage, spiegeln sie den Rückzug in eine kleine eng begrenzte, vertraute Welt.

1 Gabriele Münter über sich selbst, in: *Das Kunstwerk 2*, 1948, 7. S. 25
2 Johannes Eichner, *Kandinsky und Gabriele Münter: Von Ursprüngen moderner Kunst*, München 1957, S. 92
3 Gabriele Münter 1957 an den Markt Murnau. Schloßmuseum Murnau, veröffentlicht in: *Jahresbericht des Marktes Murnau 1957*
4 Gabriele Münter- und Johannes Eichner-Stiftung, München. Frau Ilse Holzinger und ebenso Frau Dr. Annegret Hoberg von der Städtischen Galerie im Lenbachhaus möchte ich herzlich für die Einsichtnahme in Skizzenbücher, Vorzeichnungen und die Druckgraphiken sowie für hilfreiche Hinweise danken.
5 Anschließend folgen als Nr. 26, 27 und 28 die Neujahrsgrüße 1909, 1910, 1911; Gabriele Münter- und Johannes Eichner-Stiftung, München
6 *Gabriele Münter 1877–1962*, Ausst. Kat. Orangerie/Reinz, Köln 1981, S. 9
7 *Gabriele Münter. Hinterglasbilder*. Mit einer Einführung von Rosel Gollek, München/Zürich 1981, Abb. 6
8 *Gabriele Münter 1877–1962. Gemälde, Zeichnungen, Hinterglasbilder und Volkskunst aus ihrem Besitz*, Städtische Galerie im Lenbachhaus, München 1977, S. 124
9 *Gabriele Münter (1877–1962). Retrospektive*, hrsg. von Annegret Hoberg und Helmut Friedel, Städtische Galerie im Lenbachhaus, München 1992, Kat. 88 und 89
10 GMS 932a, 5,6 x 9 cm
11 *Gabriele Münter. Menschenbilder in Zeichnungen*. Mit einer Einführung von G. F. Hartlaub, Berlin 1952, unpaginiert
12 Wie Anm. 6
13 Wie Anm. 6
14 *Gabriele Münter. Retrospektive*, 1992, S. 282
15 *Gabriele Münter. Retrospektive*, 1992, Kat. 202
16 Brigitte Salmen *Gabriele Münter malt Murnau*, Murnau 1996, S. 86–87
17 *Gabriele Münter. Retrospektive*, 1992, Nr. 207, 208
18 *Gabriele Münter. Retrospektive*, 1992, S. 29

Werkverzeichnis

Das gesamte druckgraphische Werk Gabriele Münters ist in der Sammlung der Städtischen Galerie im Lenbachhaus erhalten, von vielen Blättern existieren mehrere Farbzustände. Die 88 Nummern des Werkkataloges werden daher nach den allgemeinen technischen Angaben durch die Exemplare des Lenbachhauses vorgestellt, die alle die Inventarnummer »GMS« (Gabriele Münter Stiftung) tragen und fortlaufend unter jeder Werknummer aufgeführt sind.

Nach den Druckgraphiken sind unter jeder Werknummer die zugehörigen Originalentwürfe aufgeführt, etwa Aquarelle, Zeichnungen und Skizzenbücher. Zahlreiche dieser Originalentwürfe befinden sich ebenfalls im Besitz des Lenbachhauses, auch sie sind durch eine GMS Inventarnummer gekennzeichnet.

Viele weitere Originalentwürfe befinden sich in der Gabriele Münter- und Johannes Eichner-Stiftung, München, die den nicht in der Schenkung Münters an das Lenbachhaus 1957 enthaltenen persönlichen Nachlaß der Künstlerin verwaltet. Diese Werke tragen »Kon.« (Konvolut)-Nummern.

Sofern einige wenige Druckgraphiken – meist schwarz-weiße Probedrucke – aus dem umfangreichen Gesamtbestand in unserem Werkkatalog nicht abgebildet sind, ist dies im Einzelnen mit dem Vermerk »*nicht abgebildet*« gekennzeichnet.

Die jeweiligen Originalentwürfe sind vollständig aufgeführt, jedoch nur in ausgewählten Beispielen abgebildet. Auch hier lassen sich alle Abbildungen leicht anhand der Numerierung identifizieren.

1 Weiblicher Kopf um 1902

Titel nicht original
Holzschnitt 29,9 x 19,8 cm
Holzstock vorhanden
Helms Nr. 11

Der auffallend großflächige und noch wenig
modellierte *Weibliche Kopf* ist vermutlich der
früheste Holzschnitt Gabriele Münters.
Christina Schüler schreibt dazu: »Das Holzschneiden lernt Münter 1902 in der renom-
mierten Wolff-Neumann-Schule in München. Die Graphiker und Plakatgestalter
Ernst Neumann und Heinrich Wolff sind
beide Mitglieder des Kabaretts ›Elf Scharfrichter‹ und gestalten Titelblätter für den
›Simplicissimus‹. Nach Johannes Eichner
bleibt Münter in diesem Schulatelier nur
kurz, schneidet nur eine einzige Platte, ein
überlebensgroßes Gesicht, das sich aber nicht
erhalten haben soll. Es könnte sich meines
Erachtens aber bei dem sogenannten *Weiblichen Kopf*, den Sabine Helms um 1906 datiert und der mit seinen Maßen 29,9 x 19,8 cm
tatsächlich ein überlebensgroßes Gesicht
darstellt, vielleicht doch um diesen ersten
Holzschnitt Münters handeln.«

1.1 GMS 820
   Holzschnitt auf Japanpapier,
   Blattgröße: ca. 30,5 x 21 cm
   Druck: braun

2 Häuser in Kallmünz 1903–04

Farbholzschnitt 18,3 x 18,7 cm
U.r. im Stock monogrammiert
Helms Nr. 1

Im Sommer 1903 hielt sich Münter mit Kandinskys ›Phalanx‹-Klasse in Kallmünz in der Oberpfalz auf, dessen noch mittelalterlich geprägtes Ortsbild zahlreiche Motive für die Künstler bot. Dieselbe Ansicht einer Gassenecke mit Tordurchgang im Hintergrund hat Münter auch auf einer Photographie und einem kleinen Ölgemälde dargestellt.

2.1 GMS 785
Farbholzschnitt auf Japanpapier,
Blattgröße: 18,5 x 18,8 cm
Bez. rückseitig von fremder Hand in Blei: »Gab. Münter. 1903 ? Motiv aus Kallmünz Holzschnitt Handdruck«
Druck: schwarz, blau, grau

Zwei Entwürfe in zwei Skizzenbüchern (1903 datiert), eine kleine Bleistiftskizze (laut Helms), eine seitenverkehrte Werkzeichnung, sowie drei Holzstöcke vorhanden.
2.2 Skizzenbuch: GMS 1127, S. 25
2.3 Skizzenbuch: Kon. 38/13, S. 19

Ausstellungen
München 1962, Städtische Galerie, Nr. 133

Kallmünz, 1903, Öl auf Leinwand, Städtische Galerie im Lenbachhaus, München

Kallmünz, Photographie: Gabriele Münter

2.1

3 Motiv bei Kallmünz 1903–04

Farbholzschnitt 14,7 x 20 cm
U.r. im Stock monogrammiert
Helms Nr. 2

Offenbar schuf Münter ihre Holzschnitte mit
Motiven aus Kallmünz (vgl. Kat. 2,4) erst
einige Monate nach dem Sommeraufenthalt
der ›Phalanx‹-Klasse im Winter 1903/04 und
druckte sie in ihrer Atelierwohnung in der
Schackstraße am Schwabinger Siegestor, die
sie damals für kurze Zeit innehatte. Über
den vorliegenden Druck mit der Ansicht der
Felsen bei Kallmünz, von ihr »Steine« genannt, schreibt sie in einem Brief von Anfang
1904 an Kandinsky: »Einem besonderen Blau
bin ich jetzt sehr auf der Spur u. das Grün
weiss ich auch wie ichs will u. habe heute
Abend auf der Rückseite die unvermeidliche
3te Platte geschnitten. Es geht nicht, daß die
Steine dieselbe Farbe mit dem Himmel
haben.«

3.1 GMS 786
Farbholzschnitt auf Japanpapier,
Blattgröße: 18,9 x 30,5 cm
Druck: blau, hellgrün
3.2 GMS 787
Farbholzschnitt auf Japanpapier,
Blattgröße: 14,9 x 20 cm
Bez. rückseitig von fremder Hand in Blei:
»Motiv aus Kallmünz. G. Münter.
Probedruck Handdruck 1902 od. 1903«
Druck: blau, braun
3.3 GMS 788
Farbholzschnitt auf Japanpapier,
Blattgröße: 19,3 x 30,5 cm
Druck: grün, blau, hellbraun

Ein seitenverkehrter Entwurf, mehrere Vorzeichnungen in zwei Skizzenbüchern (1903
datiert, laut Helms), eine seitenverkehrte
Werkzeichnung, eine Pause, sowie zwei
beidseitig benützte Holzstöcke vorhanden.

3.4 Entwurf: Kon. 40/34, Bleistift auf gelb-
lichem Papier, ca. 25 x 34,8 cm. Bez. o.
Mitte eigenhändig in Blei: »I blau Schatten II rötl. Licht III Hellgrün IV Dunkelgrün V blau Ferne«
3.5 Skizzenbuch: GMS 1127, S. 33
3.6 Skizzenbuch: Kon. 38/13, S. 29

Ausstellungen
München 1962, Städtische Galerie, Nr. 132

3.2

3.3

3.4

3.1

4 Nächtliches Dorf 1903–04

Titel nicht original
Vermutlich Farbholzschnitt 19,7 x 24,7 cm
Helms Nr. 3

Am 19. Dezember 1903 schreibt Münter an
Kandinsky über ihre Holzschnitte mit Kallmünzer Motiven in bisweilen typischer
Untertreibung, was die eigene Person und
künstlerische Leistung anbelangt: »Habe
heute Nachmittag Farben gerieben u. gemischt u. gedruckt bis es zu dunkel war u. in
der ganzen Zeit nur 3 Drucke fertig gebracht.
2 Std. Einen schlechten vom Dorf u. einen
noch schlechteren von den Steinen u. dann
noch einen ganz schlechten von den Steinen.« (s. Kat. 3)

4.1 GMS 789
Vermutlich Holzschnitt auf Japanpapier,
Blattgröße: 26,5 x 32,5 cm
Druck: schwarz
4.2 GMS 790
Vermutlich Farbholzschnitt auf Japan-
papier, Blattgröße: 25,9 x 32 cm
Druck: schwarz, blau, grau, braun

4.1

5 Aurelie 1906

Farblinolschnitt 18,2 x 16,7 cm
U. r. im Stock monogrammiert
Hauskatalog Nr. 1
Helms Nr. 4

Aurelie war das Hausmädchen von Madame
und Monsieur Vernot in Paris, bei denen
Gabriele Münter im Winter 1906/07 zur
Untermiete wohnte (s.a. Kat. 7–9). In dieser
Zeit belegte die junge Künstlerin unter anderem einen Kursus für Pinselzeichnung in
der ›Académie Grande Chaumière‹.

5.1 GMS 791
Linolschnitt auf Maschinenpapier,
Blattgröße: 19 x 17,9 cm
Nicht monogrammiert
Druck: schwarz
5.2 GMS 792
Farblinolschnitt auf Japanpapier,
Blattgröße: 21 x 18,9 cm
Druck: schwarz, hellgrau
5.3 GMS 793
Farblinolschnitt auf Japanpapier,
Blattgröße: 18,7 x 17 cm
Bez. u.l. eigenhändig in Blei: »Holz-
schnitt. Handdruck.«, u.r.: »Münter.«
Druck: schwarz, hellrot, rosa, grau
5.4 GMS 794
Farblinolschnitt auf Japanpapier,
Blattgröße: 18,7 x 17 cm
Druck: dunkelblau, blaugrün, rosa,
gelb, rot

Außer den vier im Lenbachhaus vorhandenen Exemplaren sind sieben weitere Exemplare in verschiedenen Farbstellungen
bekannt. Ein Entwurf, eine seitenverkehrte
Werkzeichnung, sowie zwei Linolstöcke
vorhanden.

5.5 Entwurf: Kon 40/8, Kohle und Kreide
auf getöntem Papier, 32,4 x 25 cm.
Bez. u.l. eigenhändig in Blei: »Mü«

Ausstellungen
Paris 1907, Salon d'Automne
Köln 1908, Kunstsalon Lenoble
Bonn 1908, Salon Cohen
Baden-Baden 1960, Staatliche Kunst-
halle, Nr. 141
München 1962, Städtische Galerie,
Nr. 136 (»Porträt No. 1, Paris«)

5.5

5.1

5.2

5.3

5.4

6 Kandinsky 1906

Farblinolschnitt 24,4 x 17,7 cm
U. r. im Stock monogrammiert
Hauskatalog Nr. 2
Helms Nr. 5

6.1 GMS 795
Farblinolschnitt auf Japanpapier,
Blattgröße: 25 x 18,5 cm
Bez. u. l. eigenhändig in Blei,
teilweise radiert: »Münter«
Druck: braun, blau, hellblau, grün,
gelb, rosa, weinrot

Außer dem im Lenbachhaus vorhandenen
Exemplar sind vier weitere Exemplare in verschiedenen Farbstellungen bekannt. Außerdem ein Druck von der Schwarzplatte
(Städtische Galerie Bietigheim-Bissingen).
Ein Entwurf und eine seitenverkehrte Zeichnung vorhanden.

6.2 Entwurf: GMS 1100, Bleistift auf
grauem Papier, 29 x 21 cm
6.3 Seitenverkehrte Zeichnung: GMS 1099,
Bleistift auf Pergamentpapier,
25 x 17,6 cm

Ausstellungen
Paris 1907, Salon d'Automne
Köln 1908, Kunstsalon Lenoble
Bonn 1908, Salon Cohen
Wanderausstellung in Deutschland
    1949 – 1953
Hannover 1951, Kestner Gesellschaft, Nr. 114
Berlin 1957, Haus am Lützowplatz, Nr. 85
Baden-Baden 1960, Staatliche Kunsthalle,
    Nr. 135
New York 1961, Leonard Hutton Galleries,
    Nr. 45
München 1962, Städtische Galerie, Nr. 143

6.2

6.3

6.1

7 Mme Vernot 1906

Farblinolschnitt, 17,8 x 12,2 cm
U.r. im Stock monogrammiert
Hauskatalog Nr. 3
Helms Nr. 6

Madame und Monsieur Vernot waren die
Vermieter von Gabriele Münter in der Rue
Madame 58 in Paris. Dort wohnte Münter im
Winter 1906/07 während einer vorüberge-
henden Trennungsphase von Kandinsky,
nachdem es in der gemeinsamen Wohnung
in Sèvres bei Paris, die sie im Juni 1906 bezogen hatten, zu Konflikten gekommen war.

7.1 GMS 796
Linolschnitt auf Maschinenbütten,
Blattgröße: 20,7 x 14 cm
Nicht monogrammiert
Druck: schwarz

7.2 GMS 797
Farblinolschnitt auf Japanpapier,
Blattgröße: 20,9 x 13,8 cm
Bez. rückseitig u.M. (eigenhändig?)
in Blei: »1907 Damenporträt«
Druck: schwarzbraun, rosa

7.3 GMS 798
Farblinolschnitt auf Japanpapier,
Blattgröße: 22,5 x 14 cm
Druck: schwarz, hellbraun

7.4 GMS 799
Farblinolschnitt auf Japanpapier,
Blattgröße: 18,6 x 12,7 cm
Bez. u.l. eigenhändig in Blei: »Holz-
schnitt. Handdruck.«, u.r.: »Münter.«
Druck: dunkel- und hellmauve

7.5 GMS 800
Farblinolschnitt auf Japanpapier,
Blattgröße: 19 x 13,4 cm
Bez. u.l. in Blei: »Holzschnitt.
Handdruck.«, u.r.: »Münter.«
Druck: dunkel- und hellgrün

Außer den fünf im Lenbachhaus vorhandenen Exemplaren sind fünf weitere Exemplare
in verschiedenen Farbstellungen bekannt.
Ein Entwurf, eine seitenverkehrte Werkzeichnung, sowie zwei Linolstöcke vorhanden.

7.6 Entwurf: Kon. 40/11, Kohle und weiße
Kreide auf getöntem Papier, 32,4 x 25 cm

Ausstellungen
Köln 1908, Kunstsalon Lenoble
Bonn 1908, Salon Cohen
Berlin 1957, Haus am Lützowplatz,
    evtl. Nr. 82 (»Damenporträt«)

7.1

7.3

7.4

7.6

7.5

8 M. Vernot 1906

Farblinolschnitt 19,7 x 17,7 cm
U. r. im Stock monogrammiert
Hauskatalog Nr. 4
Helms Nr. 7

Im Falle des eindringlich und sehr gekonnt charakterisierten Porträts von *Monsieur Vernot* arbeitete Münter, ebenso wie bei der folgenden Darstellung von *Madame Vernot* (vgl. Kat. 9) mit zwei verschiedenen Hintergrundplatten. Für *Monsieur Vernot* wählte sie ein Motiv mit Angler an der Seine, für *Madame Vernot* das in der Küche wirtschaftende Hausmädchen Aurelie (vgl. auch Kat. 5) und druckte diese Platten in mehreren Farbversionen.

8.1 GMS 801
Linolschnitt und etwas weiß auf Bütten, Blattgröße: ca. 22,9 x 20 cm
Druck: schwarz (ohne Hintergrundplatte)

8.2 GMS 802
Linolschnitt auf Bütten, Blattgröße: ca. 22,5 x 20,8 cm
Druck: schwarz (ohne Hintergrundplatte)

8.3 GMS 803
Linolschnitt auf Natronpack, Blattgröße: ca. 23,5 x 19,5/20,8 cm
Nicht monogrammiert
Druck: schwarz (ohne Hintergrundplatte) *nicht abgbildet.*

8.4 GMS 804
Farblinolschnitt auf Japanpapier, Blattgröße: 21 x 19 cm
Druck: schwarz, grau, lila

8.5 GMS 805
Farblinolschnitt auf Japanpapier, Blattgröße: 22,5 x 19 cm
Bez. u. l. eigenhändig in Blei: »Holzschnitt. Handdruck.«, u. r.: »Münter.«
Druck: schwarz, blau, grün

8.6 GMS 806
Farblinolschnitt auf Japanpapier, Blattgröße: 20,5 x 18,2 cm
Druck: grau, mauve, dunkelgrau

8.7 GMS 807
Farblinolschnitt auf Japanpapier, Blattgröße: 21,7 x ca. 20,2 cm
Druck: weinrot, hellgrün

Außer den sieben im Lenbachhaus vorhandenen Exemplaren sind drei weitere Exemplare in verschiedenen Farbstellungen bekannt.
Ein Entwurf (datiert 1906), eine seitenverkehrte Werkzeichnung, sowie zwei Linolstöcke vorhanden.

8.8 Entwurf: Kon. 40/10, Kohle und weiße Kreide auf getöntem Papier, 32,5 x 25,1 cm. Bez. u. l. eigenhändig in Blei: »Mü. Monsieur Vernot Paris 1906«

Ausstellungen
Paris 1907, Salon d'Automne
Köln 1908, Kunstsalon Lenoble
Bonn 1908, Salon Cohen
Baden-Baden 1960, Staatliche Kunsthalle, Nr. 140

8.1

8.2

8.8

8.7

8.4

8.5

8.6

9 Mme Vernot mit Aurelie 1906

Farblinolschnitt 22,7 x 17,7 cm
U.r. im Stock monogrammiert
Hauskatalog Nr. 5
Helms Nr. 8

9.1

9.2

9.7

9.1 GMS 808
Linolschnitt auf Maschinenpapier,
Blattgröße: 24,8 x 23,5 cm
Nicht monogrammiert
Druck: schwarz (ohne Hintergrund-
platte)

9.2 GMS 809
Linolschnitt auf Maschinenpapier,
Blattgröße: 25 x 23,3 cm
Druck: schwarz (ohne Hintergrund-
platte)

9.3 GMS 810
Farblinolschnitt auf Japanpapier,
Blattgröße: 23,1 x 18,2 cm
Bez. u.l. eigenhändig in Blei: »Holz-
schnitt. Handdruck.«, u.r.: »Münter.«
Druck: schwarz, grün, blau

9.4 GMS 811
Farblinolschnitt auf Japanpapier,
Blattgröße: 23,8 x 18,2 cm
Druck: dunkelgrün, gelbgrün

9.5 GMS 812
Farblinolschnitt auf Japanpapier,
Blattgröße: 24,5 x 20,1 cm
Druck: schwarz, grau, mauve

9.6 GMS 813
Farblinolschnitt auf Japanpapier,
Blattgröße: 23,4 x 18,1 cm
Druck: schwarz, braun, grün

9.7 GMS 814
Farblinolschnitt auf Japanpapier,
Blattgröße: 24,7 x 18,5 cm
Bez. rückseitig vermutlich eigen-
händig in Blei: »gut +«
Druck: dunkelgrau, mauve

Außer den sieben im Lenbachhaus vorhandenen Exemplaren sind acht weitere
Exemplare in verschiedenen Farbstellungen
bekannt.
Ein Entwurf (datiert 1906), eine seitenverkehrte Werkzeichnung, sowie zwei Linolstöcke vorhanden.

9.8 Entwurf: Kohle auf grauem Papier, weiß
gehöht, 32,3 x 25,1 cm. Bez. u.r.:
»Pensionsmutter Mme Vernot. Paris 1906«
(heute in der Sammlung des Schloß-
museums Murnau)

Ausstellungen
Köln 1908, Kunstsalon Lenoble
Bonn 1908, Salon Cohen

9.8

9.3

9.4

9.5

9.6

10 Mlle A. Robert 1907

Farblinolschnitt 20,9 x 16,6 cm
U.r. im Stock monogrammiert
Hauskatalog Nr. 6
Helms Nr. 9

Im Sommer 1907, kurz nach dem Pariser Aufenthalt, schickte Münter einige gerade fertiggestellte Drucke in verschiedenen Farbzuständen an Kandinsky zur Ansicht, offenbar um dessen Meinung über eine Einlieferung der Blätter auf den Pariser ›Salon d'Automne‹ einzuholen (vgl. Kat. 26). Kandinsky antwortet am 7. Juli 1907 unter anderem: »Die Mme Roberts sind auch sehr gut (alle 3), wieder mit persönlichem Beigeschmack u. anziehend. Und tutti i Alini [damit ist der hier gezeigte Linolschnitt zu ›Aline Robert‹ gemeint] sind nicht schlecht, manches direkt gut u. ganz ausstellungsfähig. Du wirst schon überall meine Bemerkungen am Rand finden od. hinten, nur in der unteren Abteilung nicht (*unter* der schwarzen Aline), da ich sie »a jetare« finde. Wo ein + steht, heisst es du kannst sie ausstellen, wie sie da sind.«

10.1 GMS 815
Linolschnitt auf Bütten, Blattgröße: ca. 23,7 x 17,5 cm
Druck: schwarz, Deckweiß

10.2 GMS 816
Farblinolschnitt auf Japanpapier, Blattgröße: 21,8 x 16,4 cm
Bez. u.l. eigenhändig in Blei: »Handdruck.«, u.r.: »G. Münter.«
Bez. rückseitig, oben eigenhändig in Blei: »Mlle R«
Druck: schwarz, rosa, grün, braun, hellrot

Außer den zwei im Lenbachhaus vorhandenen Exemplaren sind sieben weitere Exemplare in verschiedenen Farbstellungen bekannt.
Ein Entwurf, eine seitenverkehrte Werkzeichnung, sowie zwei Linolstöcke vorhanden.

10.3 Entwurf: Kon. 40/9, Kohle auf getöntem Papier, ca. 21,2 x 15,7 cm

Ausstellungen
Paris 1907, Salon d'Automne
Köln 1908, Kunstsalon Lenoble
Bonn 1908, Salon Cohen

10.3

10.1

Handdruck   G. Münter

10.2

11 Mme Robert 1907

Farblinolschnitt 17,9 x 11,9 cm
U.r. im Stock monogrammiert
Hauskatalog Nr. 7
Helms Nr. 10

11.1

11.2

11.4

11.1 GMS 817
Linolschnitt auf Natronpack,
Blattgröße: ca. 23,7 x 15,6 cm
Druck: schwarz

11.2 GMS 818
Farblinolschnitt auf Japanpapier,
Blattgröße: 18,5 x 12,5 cm
Bez. u.l. eigenhändig in Blei: »Holz-
schnitt. Handdruck.«, u.r.: »Münter.«
Druck: schwarz, lila, rosa

11.3 GMS 819
Farblinolschnitt auf Japanpapier,
Blattgröße: 18,5 x 12,3 cm
Bez. u.l. eigenhändig in Blei: »Holz-
schnitt. Handdruck.«, u.r.: »Münter.«
Druck: schwarz, türkis, lila, rosa, braun

Außer den drei im Lenbachhaus vorhandenen Exemplaren sind drei weitere Exemplare
in verschiedenen Farbstellungen bekannt.
Ein Entwurf, eine seitenverkehrte Werkzeichnung, sowie zwei Linolstöcke vorhanden.

11.4 Entwurf: Kon. 40/7, Kohle auf
getöntem Papier, 20,7 x 15,8 cm

Ausstellungen
Paris 1907, Salon d'Automne
Köln 1908, Kunstsalon Lenoble
Bonn 1908, Salon Cohen
München 1909, Neue Künstler-
vereinigung, Nr. 112

11.3

12 Parc Saint-Cloud 1907

Vermutlich Farblinolschnitt 9,8 × 24 cm
U.l. im Stock monogrammiert
Hauskatalog Nr. 10
Helms Nr. 13

Einige von Münters kleinen Gemälden in
Spachteltechnik aus der Pariser Zeit stellen
offenbar ein ähnliches Motiv, etwa »Park.
Bassins« mit Ansicht der langgestreckten
Wasserbassins im Parc Saint-Cloud oberhalb
der Seine dar. Ein Exemplar ihres Farbholzschnitts *Parc Saint-Cloud* verkaufte Münter,
wie ihren verstreuten Aufzeichnungen zu
entnehmen ist, während der Ausstellung des
›Salon d'Automne‹ 1908.

12.1

12.5

12.1 GMS 824
Vermutlich Linolschnitt auf Maschinen-
bütten, Blattgröße: 11,3 × 25,9 cm
Druck: schwarz

12.2 GMS 825
Vermutlich Farblinolschnitt auf Japan-
papier, Blattgröße: ca. 10,9 × 24,4 cm
Bez. u.l. eigenhändig in Blei: »Hand-
druck.«, u.r.: »G. Münter«
Druck: schwarz, rosa, grün, braun, lila

12.3 GMS 826
Vermutlich Farblinolschnitt auf Japan-
papier, Blattgröße: 10,3 × 24,2 cm
Druck: schwarz, blau, braun, rosa, grau

12.4 GMS 827
Vermutlich Farblinolschnitt auf Japanpapier, Blattgröße: 10,5 × 24,5 cm
Bez. u.l. eigenhändig in Blei: »Holzschnitt. Handdruck.«, u.r.: »Münter«
Druck: schwarz, blau, grün, graugrün,
rosa

12.5 GMS 828
Vermutlich Farblinolschnitt auf Japanpapier, Blattgröße: ca. 12,2 × 26,3 cm
Druck: schwarz, braun, hellbraun,
blau, blaugrün

12.6 GMS 829
Vermutlich Farblinolschnitt auf Japanpapier, Blattgröße: 10,4 × 24,2 cm
Bez. u.l. eigenhändig in Blei: »Holzschnitt. Handdruck.«, u.r.: »Münter.«
Druck: dunkelgrün, blau, braun, grau,
blaugrün

Außer den sechs im Lenbachhaus vorhandenen Exemplaren sind neun weitere Exemplare in verschiedenen Farbstellungen bekannt.
Zwei (laut Helms: drei) Entwürfe und eine
seitenverkehrte Werkzeichnung vorhanden.

12.7 Entwurf: GMS 1091, Farbige Kreide
und Aquarell auf grauem Papier,
12,6 × 31,8 cm

12.8 Entwurf: Kon 34/02, Gouache auf
schwarzem Papier, 14,4 × 25,5 cm

Ausstellungen
Köln 1908, Kunstsalon Lenoble
Bonn 1908, Salon Cohen
Paris 1908, Salon d'Automne
Hamburg 1909, Salon Louis Bock
Schwerin 1909, Museum
München 1909, Neue Künstlervereinigung,
Nr. 110
Wanderausstellung in Deutschland
1949–1953, o. Nr. (hier 1906 datiert)
Hannover 1951, Kestner Gesellschaft, Nr. 115
Berlin 1957, Haus am Lützowplatz, Nr. 86

12.7

12.2

12.3

12.4

12.6

13 Herbstabend – Sèvres 1907

Farblinolschnitt 11,9 x 17,7 cm
U.r. im Stock monogrammiert
Hauskatalog Nr. 11
Helms Nr. 14

Mehr noch als andere Linolschnitte aus Münters Pariser Periode beeindruckt *Herbstabend – Sèvres* durch seine komplexe und präzise Zeichnung und subtile Farbgebung, die mit Tönen von Gold, Orange, Violett und Türkisgrün auf fast magische Weise das farbige Licht eines Herbstabends evoziert. Münters Fähigkeit, in Form- und Farbstrukturen zu denken und die komplizierte Vorgehensweise bei der Ausarbeitung der Druckplatten offenbar mühelos zu beherrschen, belegt auch die vorbereitende Bleistiftzeichnung in einem Skizzenbuch, die die Strukturen der vertikalen Baumstämme, des Netzwerks der Blätter, der Mauer im Mittelgrund und der dahinterliegenden Häuser in klaren Umrißlinien und mit kurzen Farbnotizen festlegt.

13.1 GMS 830
Linolschnitt auf Bütten, Blattgröße: ca. 14,7 x 20,8 cm
Bez. rückseitig eigenhändig in Blei: »G. Münter«
Nicht monogrammiert
Druck: schwarz (ohne die Hintergrundplatte)

13.2 GMS 831
Farblinolschnitt auf Japanpapier, Blattgröße: 12,7 x 18,5 cm
Druck: dunkelblau, blau, grün, rosa, gelb, braun

13.3 GMS 832
Farblinolschnitt auf Japanpapier, Blattgröße: 12,5 x 18 cm
Bez. u.l. eigenhändig in Blei: »Holzschnitt. Handdruck.«, u.r.: »G. Münter.«
Druck: schwarz, lila, rot, grün, orange, hellblau, rosa

Außer den drei im Lenbachhaus vorhandenen Exemplaren sind sechs weitere Exemplare in verschiedenen Farbstellungen bekannt. Ein Entwurf in einem Skizzenbuch (1906/07 datiert), eine seitenverkehrte Werkzeichnung, sowie drei Linolstöcke vorhanden.

13.4 Skizzenbuch: Kon. 46/27, S. 31

Ausstellungen
Köln 1908, Kunstsalon Lenoble
Bonn 1908, Salon Cohen
Paris 1908, Salon d'Automne
Berlin 1957, Haus am Lützowplatz, Nr. 87
(wohl) München 1962, Städtische Galerie, Nr. 135 (»Gravüre Nr. 11, Paris 1906«)

13.1

13.2

13.3

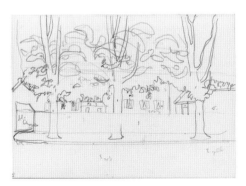

13.4

14 Marabout 1907

Farblinolschnitt 13 x 21,2 cm
Rechts im Stock monogrammiert
Hauskatalog Nr. 13
Helms Nr. 15

Die Entwürfe zu diesem Motiv stammen aus der Zeit des Aufenthaltes von Münter und Kandinsky in Tunis im Winter 1904/05, während der Münter unter anderem auch eine Reihe von ähnlichen Gewandstudien der verhüllten Einheimischen in ihren Skizzenbüchern festhielt. Den Holzschnitt fertigte sie erst mehr als zwei Jahre später in Paris an. In ihrem ›Hauskatalog‹ finden sich zu *Marabout* folgende Farbnotizen, die – ebenso wie zu anderen Drucken der Pariser Zeit – erkennen lassen, mit welch einer genauen Überlegung und Raffinesse Münter bei der Farbwahl vorging: »Figuren cassler m. terra di Siena nat. Boden braun grün, Boden dunkler u. kälter. Figuren wenig ultra u. viel krapp. Zaun preussisch, Orangen Saturnrot Thür u. Karre vert cendre. Dachvorsprung warm hell grün, Contur schwarz.« »Himmel wie Contur v. 12 [*Wäsche am Strand*] aber mit Pinsel dünner.«

14.1 GMS 833
Linolschnitt auf Maschinenpapier, Blattgröße: 14,9 x 23,5 cm
Nicht monogammiert
Druck: schwarz

14.2 GMS 834
Farblinolschnitt auf Japanpapier (?), Blattgröße: 13,5 x 21,5 cm
Bez. u.l. eigenhändig in Blei: »Handdruck.«, u.r.: »G. Münter.«
Druck: schwarz, blau, mittelblau, olive, lila, grün, rosa, braun

14.3 GMS 835
Farblinolschnitt auf Japanpapier, Blattgröße: ca. 14 x 21,7 cm
Bez. u.l. eigenhändig in Blei: »Holzschnitt. Handdruck.«, u.r.: »Münter.«
Druck: schwarz, blau, olive, lila, braun, orange, grün, rosa, mittelblau

Außer den drei im Lenbachhaus vorhandenen Exemplaren sind zehn weitere Exemplare in verschiedenen Farbstellungen bekannt. Ein Entwurf, eine Vorzeichnung in einem Skizzenbuch, eine seitenverkehrte Werkzeichnung, sowie zwei Linolstöcke vorhanden.

14.4 Entwurf: Kon. 34/1, Aquarell, Gouache, schwarze Feder und Bleistift, 13,2 x 23,8 cm. Bez. o.l. eigenhändig in Blei: »21 1/2 x 13«
14.5 Skizzenbuch: Kon. 37/7, S. 43, datiert »3.I.«

Ausstellungen
Köln 1908, Kunstsalon Lenoble
Bonn 1908, Salon Cohen
Paris 1908, Salon d'Automne
Hamburg 1909, Salon Louis Bock
Schwerin 1909, Museum
Berlin 1957, Haus am Lützowplatz, Nr. 89
München 1962, Städtische Galerie, Nr. 134

14.4

Holzschnitt Handdruck.   Münter

14.3

14.1   14.2

15 Kandinsky am Harmonium 1907

Farblinolschnitt 14,8 x 12,4 cm
U. l. im Stock monogrammiert
Hauskatalog Nr. 14
Helms Nr. 16

Der meisterhafte Linolschnitt zeigt den musizierenden Gefährten in der gemeinsamen Wohnung in Sèvres zur Stunde der Dämmerung oder am Abend, deren charakteristische blaue Färbung Münter besonders liebte und die sie auch später zu einigen ihrer besten Stilleben inspirierte. Kandinsky erscheint lediglich als schwarze Silhouette vor dem Instrument, doch ist sein scharf umrissenes Halbprofil mit dem Brillenglas unverkennbar. Der Schein einer weiß ausgesparten Lampe fällt wie ein schützendes Dreieck auf den unteren Teil der aufgeschlagenen Noten, die unbestimmte räumliche Position der weißen Blüten über ihr an der Wand unterstreicht den intimen Charakter der häuslichen Szene. Das Harmonium stand später im Musikzimmer des gemeinsamen Hauses in Murnau, 1914 ließ es Kandinsky dort in der Obhut Münters zurück. 1928 erhielt er es im Zuge der Auseinandersetzung mit Münter um seine zurückgelassene Habe als ein ihm wichtiges Stück seines Hausrats zurück.

15.1 GMS 836
Farblinolschnitt auf Japanpapier,
Blattgröße: 15,3 x 12, 8 cm
Bez. u. l. eigenhändig in Blei:
»Handdruck.«, u. r.: »G. Münter.«
Druck: schwarz, blau

Außer dem im Lenbachhaus vorhandenen Exemplar sind drei weitere Exemplare in verschiedenen Farbstellungen bekannt. Ein Entwurf, je eine Vorzeichnung in zwei Skizzenbüchern, eine seitenverkehrte Werkzeichnung, sowie zwei Linolstöcke vorhanden.

15.2. Entwurf: GMS 1092, Detailskizze.
Bleistift und dunkelviolette Tusche auf grauem Papier, 12,3 x 10,5 cm.
Rückseite: Kopfstudie
15.3 Skizzenbücher: Kon. 37/10, S. 19
15.4 Kon. 46/27, S. 61

Ausstellungen
Köln 1908, Kunstsalon Lenoble
Bonn 1908, Salon Cohen
Paris 1908, Salon d'Automne
München 1962, Städtische Galerie, Nr. 138

15.2

15.3

15.1

16 Häuschen – Bellevue 1907

Farblinolschnitt 16 x 12,2 cm
U. l. im Stock monogrammiert
Hauskatalog Nr. 15
Helms Nr. 17

In ihrem ›Hauskatalog‹ der Druckgraphik beschreibt Münter für einige ihrer farbigen Drucke die gewählten Farbsorten sehr genau und dokumentiert damit den Aufwand und die Raffinesse dieser mit verschieden eingefärbten Druckstöcken gearbeiteten Blätter. Zu *Häuschen – Bellevue* heißt es hier: »Mauern Indigo dünn. Thor u. Fensterläden Preussisch Himmel unter Krapp, über Preussisch, Weg unter Zinnober über preussisch Straße Gas Laterne dunkel grün, Thüröffnung Saturn u. Krapp.«

16.1 GMS 837
Farblinolschnitt auf Japanpapier,
Blattgröße: 16,6 x 12,8 cm
Bez. u. l. eigenhändig in Blei: »Holzschnitt. Handdruck.«, u. r.: »Münter.«
Druck: schwarz, blau, grün, hellblau, hellrot

16.2 GMS 838
Farblinolschnitt auf Japanpapier,
Blattgröße: 18,2 x 14,2 cm
Druck: schwarz, grün, blau, orange, rotgrün

Außer den zwei im Lenbachhaus vorhandenen Exemplaren ist noch ein weiteres farbiges Exemplar bekannt.
Vier Entwürfe, eine seitenverkehrte Werkzeichnung, sowie drei Linolstöcke vorhanden.

16.3 Entwurf: GMS 1093, Aquarell, schwarze Feder und Bleistift, 31 x 46 cm, linke Blatthälfte, mit Farbangaben in Blei von der Hand Kandinskys (vgl. auch Kat. 19)
16.4 Entwurf: GMS 1122/1, Bleistift, 17,7 x 9,7 cm
16.5 Entwurf: GMS 1122/2: Bleistift, 17,7 x 9,7 cm
16.6 Entwurf: Kon. 40/12: Farbkreide, Tusche und Aquarell, 14,5 x 12,1 cm

Ausstellungen
Köln 1908, Kunstsalon Lenoble
Bonn 1908, Salon Cohen
Paris 1908, Salon d'Automne
München 1909, Neue Künstlervereinigung, Nr. 111
München 1962, Städtische Galerie, Nr. 144

16.4

16.5

16.6

16.1

16.2

17 Weg 1907

Farblinolschnitt 11,8 x 15,8 cm
U.r. im Stock monogrammiert
Hauskatalog Nr. 24
Helms Nr. 18

17.1 GMS 839
Farblinolschnitt auf Japanpapier,
Blattgröße: 12,4 x 16,3 cm
Bez. u.l. eigenhändig in Blei:
»Handdruck.«, u.r.: »G. Münter.«
Druck: schwarz, grün, braun, rosa

Außer dem im Lenbachhaus vorhandenen
Exemplar sind drei weitere Exemplare in
verschiedenen Farbstellungen bekannt.
Vier (laut Helms: fünf) Entwürfe, eine seitenverkehrte Werkzeichnung, sowie drei Linolstöcke vorhanden.

17.2, a–c Entwürfe: Kon. 40/112 a–c:
a) Tusche auf liniertem Papier, 13,4 x 20,9 cm
b) 2 Zeichnungen *recto* und *verso*, Bleistift auf
getöntem Papier, 12,3 x 20,3 cm
c) Tusche und Bleistift auf liniertem Papier,
ca. 13,5 x 19 cm

Ausstellungen
Köln 1908, Kunstsalon Lenoble
Bonn 1908, Salon Cohen
Berlin 1957, Haus am Lützowplatz, Nr. 84
München 1962, Städtische Galerie, Nr. 140
(»Straße mit skurrilen Blumen«)

Handdruck.   60. März 190.

17.1

18 Höfchen in Chartres 1907

Farblinolschnitt 7,5 x 9 cm
U.l. im Stock monogrammiert
Hauskatalog Nr. 8
Helms Nr. 12

Die Weihnachtstage 1906/07 verbrachten
Münter und Kandinsky, obwohl zu dieser
Zeit getrennt wohnend, gemeinsam in Sèvres.
Am 4. und 5. Januar 1907 besuchten sie
Chartres. Der nach einer Skizzenbuchzeichnung ausgearbeitete kleine Linolschnitt *Höfchen in Chartres* gewinnt trotz der kargen geometrischen Grundformen besonders durch
die verschieden bläulich eingefärbte Platte
eine stimmungshafte Intensität.

18.1 GMS 821
Linolschnitt auf Bütten,
Blattgröße: 15,4 x 12,8 cm
Bez. rückseitig eigenhändig (?)
in Blei: »Bü«
Druck: schwarz
18.2 GMS 822
Farblinolschnitt auf Japanpapier,
Blattgröße: ca. 8,8 x 12 cm
Druck: schwarz, blaugrün
18.3 GMS 823
Farblinolschnitt auf Japanpapier,
Blattgröße: 7,9 x 9,2 cm
Bez. u.l. eigenhändig in Blei: »Holz-
schnitt, Handdruck.«, u.r.: »Münter.«
Druck: schwarz, blau, gelb

Außer den drei im Lenbachhaus vorhandenen Exemplaren sind drei weitere Exemplare
in verschiedenen Farbstellungen bekannt.
Eine lose Skizzenbuchzeichnung, eine seitenverkehrte Werkzeichnung, sowie ein
Linolstock vorhanden.
18.4 Skizzenbuchzeichnung: ohne
Konvolut-Nummer, 9,8 x 17,6 cm

Ausstellungen
Köln 1908, Kunstsalon Lenoble
Bonn 1908, Salon Cohen
Berlin 1957, Haus am Lützowplatz,
evtl. Nr. 83 (»Altes Städtchen«)

18.1

18.2

18.3

19 Brücke in Chartres 1907

Farblinolschnitt 9,6 x 14,9 cm
U.r. im Stock monogrammiert
Hauskatalog Nr. 21
Helms Nr. 19

Auf einem großformatigen aquarellierten
Blatt findet sich neben der Ansicht des *Häus-chen – Bellevue* (vgl. Kat. 16) eine ausgearbeite-te Darstellung zu *Brücke in Chartres*, beide
bereits mit einer bildumschließenden Einfas-sungslinie versehen, die auf eine beabsichtig-te Ausarbeitung für die Druckgraphik hin-weist. Das Motiv des über eine Brücke
gehenden kleinen Mädchens in Schürze und
Holzpantinen, eine Flasche in der Hand, vor
der schlicht geformten französischen Klein-stadtarchitektur hat Münter zu einem Linol-schnitt mit einer besonders großen Varia-tionsbreite in den Farbstellungen gereizt. Mit
verschiedenen Zusammenstellungen erzielt
sie den Eindruck von abendlicher Dämme-rung, Nachtblau, aber auch Morgen- und
Nachmittagslicht im aufleuchtenden Gelb
oder Orange der Schürze oder experimen-tiert mit bunten Kombinationen von Grün-lich und Rosa. Dabei geben die Horizontalen
von Brücke und Häuserzeile – wie häufig in
ihren frühen Druckgraphiken – der Kompo-sition Festigkeit und Klarheit. Auf der
erwähnten Aquarellstudie finden sich folgen-de Notizen von der Hand Kandinskys für
die geplante Druckgraphik der Freundin:
»I – Dächer, 2 Mauern, Trottoirrand, Thor,
Schtt u. L. [Schatten und Licht], 2 – Häuser,
Mädchen, Licht, Flasche, Kamine, 3 – Cen-trum, Himmel, Wasser, Gesicht, Hand.«

19.1 GMS 840
Farblinolschnitt auf Japanpapier,
Blattgröße: 12,5 x 17,5 cm
Bez. u.l. eigenhändig in Blei: »Hand-druck.«, u.r.: »G. Münter.«
Druck: schwarz, grün, blau, orange,
graubraun

19.2 GMS 841
Farblinolschnitt auf Japanpapier,
Blattgröße: 10,5 x 15,5 cm
Druck: schwarz, grün, rot, blau, rosa
19.3 GMS 842
Farblinolschnitt auf Japanpapier,
Blattgröße: 10,7 x 15,5 cm
Druck: schwarz, blau, violett, grün,
orange
19.4 GMS 843
Farblinolschnitt auf Japanpapier,
Blattgröße: 10,5 x 15,2 cm
Druck: schwarz, gelb, rosa, rot, braun
Teilweise unscharf
19.5 GMS 844
Farblinolschnitt auf Japanpapier,
Blattgröße: ca. 11,5 x 16,5 cm
Bez. u.l. eigenhändig in Blei: »Hand-druck.«, u.r.: »G. Münter.«
Druck: schwarz, blau, grün, orange
19.6 GMS 845
Farblinolschnitt auf Japanpapier,
Blattgröße: 10,2 x 15 cm
Bez. u.l. eigenhändig in Blei: »Hand-druck.«, u.r.: »G. Münter.«
Druck: schwarz, blau, grün, rosa, violett

Außer den sechs im Lenbachhaus vorhande-nen Exemplaren sind zwei weitere Exemplare
in verschiedenen Farbstellungen bekannt.
Zwei Entwürfe, eine lose Skizzenbuchzeich-nung, eine seitenverkehrte Werkzeichnung,
eine größere Werkzeichnung, sowie drei
Linolstöcke vorhanden.

19.7 Entwurf: GMS 1093, Aquarell, schwarze
Feder und Bleistift, 31 x 46 cm,
rechte Blatthälfte, links Farbangaben in
Blei von der Hand Kandinskys (siehe
auch Kat. 17)
19.8 Entwurf: Kon. 40/13, Tusche, Farbkrei-de, 12,4 x 16,7 cm. Bez. o.r. in Blei von
der Hand Kandinskys: »2 Platten.«, am
rechten Rand Farbangaben
19.9 Skizzenbuchzeichnung: ohne Kon-volut-Nummer, Bleistift, 9,8 x 17,6 cm

Ausstellungen
Köln 1908, Kunstsalon Lenoble
Bonn 1908, Salon Cohen
München 1909, Neue Künstlervereinigung,
Nr. 113
Berlin 1957, Haus am Lützowplatz, Nr. 88

19.7

19.1

19.3

19.4

19.2

19.5

19.6

20 Waske 1907

Holzschnitt 6 x 7,9 cm
U.l. im Stock monogrammiert
Helms Nr. 20

Waske war der vielgeliebte Kater von Kandinsky und Münter in Sèvres. Besonders Münter hielt ihn in vielen Photos und Skizzenbuchzeichnungen fest. Auch der kleine Holzschnitt stellt *Waske*, erkennbar an seinem geringelten Schwanz, auf einem Stuhl dar, und geht in diesem Fall auf eine beinahe identische Tuschfederzeichnung zurück.

20.1 GMS 846
    Holzschnitt auf Japanpapier,
    Blattgröße: 7,6 x 9 cm
    Druck: schwarz

Ein weiteres Exemplar ist bekannt.
Ein Entwurf, mehrere Vorzeichnungen in drei Skizzenbüchern, eine seitenverkehrte Werkzeichnung, sowie der Holzstock vorhanden.

20.2 Entwurf: GMS 1101, Tusche auf
    Pergamentpapier, 11,5 x 10,5 cm
20.3 Skizzenbuch: GMS 1123, Tusche
    (Blatt einzeln montiert)
20.4 Skizzenbuch: GMS 1128, S. 5, 7, 15, 43
20.5 Skizzenbuch: Kon. 46/27, S. 55

Literatur
›Les Tendances Nouvelles‹, Paris, Nr. 40,
Februar 1909, Abb. S. 879

Wassily Kandinsky mit Waske, Sèvres, 1906.
Photographie: Gabriele Münter

Gabriele Münter mit Waske, Sèvres, 1906.
Photographie: Wassily Kandinsky

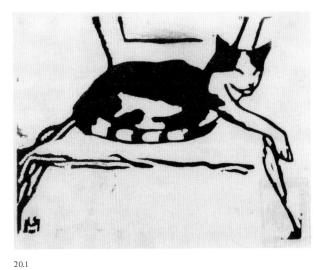

20.1

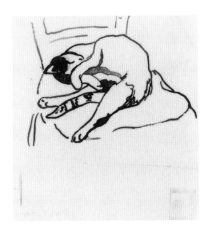

20.2

20.3

21 Zwei Katzen 1907

Titel nicht original
Linolschnitt 6,5 x 8,4 cm
U.r. im Stock monogrammiert
Helms Nr. 21

Zwei Katzen greifen das Motiv mehrerer Skizzenbuchzeichnungen auf, die Münter kurz nach dem Zwillingswurf zweier Katzen ihrer Vermieter in Sèvres im Juli 1906 anfertigte. In vignettenhaftem Format, in einer zweiten Version durch ovale Einfassungslinien zusätzlich betont, erfaßt Münter das Bild der beiden eng aneinandergeschmiegten kleinen Katzen mit wenigen charakteristischen Linien.

21.1 GMS 847
Linolschnitt auf Maschinenbütten,
Blattgröße: 6,8 x 8,5 cm
Nicht monogrammiert
Druck: schwarz

21.2 GMS 848
Linolschnitt auf Maschinenbütten,
Blattgröße: 7,5 x 10,5 cm
Im Oval, Einfassungslinie
Druck: schwarz

21.3 GMS 849
Linolschnitt auf Bütten, Oval:
5,4 x 7,6 cm, Blattgröße: 7,5 x 10,6 cm
Im Oval im Kreis dicker
Druck: schwarz

21.4 GMS 850
Linolschnitt auf Natronpack,
Blattgröße: 7,5 x 9,2 cm
In zwei gleichen ovalen Kreisen
Druck: schwarz   *nicht abgebildet*

Mehrere Entwürfe in zwei Skizzenbüchern, eine seitenverkehrte Werkzeichnung (mit dem Oval), sowie drei Linolstöcke vorhanden.

21.5 Skizzenbuch: GMS 1180 (Blatt einzeln montiert)
21.6 Skizzenbuch: GMS 1184 (Blatt einzeln montiert)

21.1

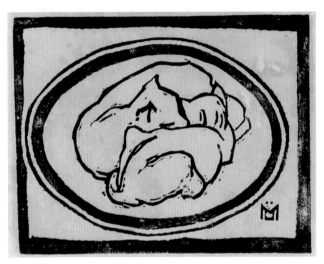

21.2

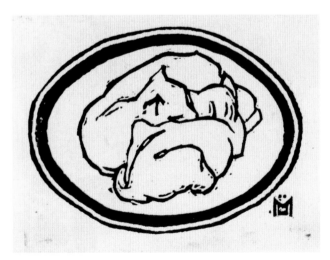

21.3

22 Parkbank 1907

Titel nicht original
Vermutlich Linolschnitt 5 x 8,6 cm
U.r. im Stock monogrammiert
Helms Nr. 22

Parkbank gehört zu einer Serie kleinformatiger Druckgraphiken Gabriele Münters, die im Juni 1908 und Februar 1909 in der Pariser Zeitschrift ›Les Tendances Nouvelles‹ veröffentlicht wurden. Mit der gleichnamigen Künstlergruppe um den Herausgeber Alexis Mérodack-Jeanneau stand Kandinsky bereits seit 1904 in Kontakt, ab Herbst 1906 begannen ›Les Tendances Nouvelles‹ eine große Anzahl seiner Holzschnitte zu publizieren. Münters *Parkbank* erinnert mit ihrem miniaturhaften Querformat sehr an ähnliche Skizzenbuchseiten aus ihrer Pariser Zeit und ist im Stil einer Tuschpinselzeichnung gehalten, deren Technik Münter in dem bereits erwähnten Kursus an der ›Académie Grande Chaumière‹ im Winter 1906/07 intensiv studiert hatte. Vermutlich setzte sie die Zeichnung mit ihren schwarzen Konturen und Flächenkontrasten nicht im Holzschnitt, sondern im leichter zu handhabenden Linolschnitt um.

22.1 GMS 851
Vermutlich Linolschnitt, Blattgröße:
ca. 5,7 x 10,5 cm
Druck: schwarz

Ein Entwurf in einem Skizzenbuch vorhanden

22.2 Skizzenbuch: Kon. 46/28, S. 35

Literatur
›Les Tendances Nouvelles‹, Paris, Nr. 40,
    Februar 1909, Abb. S. 873

22.1

3 Kleine Holländerin 1907–08

Titel nicht original
Vermutlich Holzschnitt 7,3 x 6,1 cm
U.r. im Stock monogrammiert
Helms Nr. 23

Kleine Holländerin wurde, zusammen mit den beiden Studien *Im Café* (Kat. 24, 25) und dem etwas größeren Holzschnitt *Kind mit Puppe* (Kat. 28) 1908 in der Juni-Nummer der Zeitschrift ›Les Tendances Nouvelles‹ veröffentlicht (s. auch Kat. 22). Als Vorlage wählte Münter eine ältere Skizzenbuchzeichnung der holländischen Reise im Frühsommer 1904, die sie sehr exakt in das Medium des Holzschnitts übertrug, wobei – abweichend von ihren meisten anderen Schnitten der Pariser Zeit – die fein gezeichneten Linienstege der Druckplatte auffallen. Damit zielte Münter offenbar auf den Anschein eines Holzstichs, der damals, noch in Konkurrenz zur Photographie, zu einer weitverbreiteten Reproduktionstechnik in Zeitschriften gehörte.

23.1 GMS 852
  Vermutlich Holzschnitt auf Japanpapier,
  Blattgröße: ca. 11 x 9,8 cm
  Druck: schwarz

Zwei weitere Exemplare bekannt.
Ein Entwurf in einem 1903–04 datierbaren
Skizzenbuch vorhanden.

23.2 Skizzenbuch: GMS 1071, S. 57

Literatur:
›Les Tendances Nouvelles‹, Paris, Juni 1908,
Nr. 36, Abb. S. 737

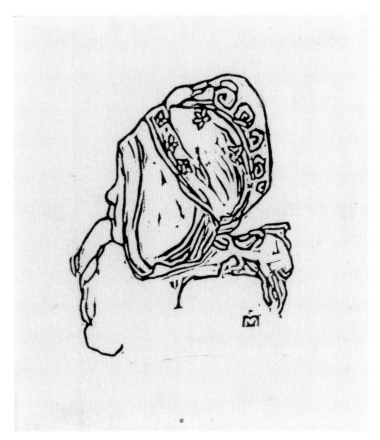

23.1

24 Im Café I 1907–08

Titel nicht original
Holzschnitt 8 x 4,8 cm
U.l. im Stock monogrammiert
Helms Nr. 24

24.1

Im Café I erschien zusammen mit *Im Café II*,
Kleine Holländerin und *Kind mit Puppe*
(Kat. 25, 23, 28) 1908 in derselben Nummer
der Zeitschrift ›Les Tendances Nouvelles‹.
Hier evoziert Münter ebenfalls mit den dünnen Lienienstegen der Graphik den Anschein
eines Holzstiches und stellt sich auch mit
dem im vignettenhaften Format offenbar der
Aufgabe einer in den Text eingestreuten, graphischen Zeitschriftenillustration. *Im Café I*
greift eine Pariser Skizzenbuchzeichnung
auf, die maßstäblich etwas größer ist als der
Druck; während hier die Einzelheiten deutlicher betont sind, abstrahiert der Holzschnitt weitgehend den Porträtcharakter der
Dargestellten. Die beiden Graphiken *Im Café
I* und *Im Café II* wurden 1913 in der Berliner
Zeitschrift ›Der Sturm‹ erneut publiziert
(s. auch Kat. 41 – 45).

24.1 GMS 853
Holzschnitt auf Japanpapier,
Blattgröße: 12 x 6 cm
Druck: schwarz

Ein Entwurf (laut Helms: zwei Entwürfe),
eine Vorzeichnung in einem 1907 datierten
Skizzenbuch, sowie der Holzstock
vorhanden.

24.2 Entwurf: GMS 1124, Bleistift auf einem
Skizzenbuchblatt, 13,7 x 8,4 cm
24.3 Skizzenbuch: GMS 1129, S. 5

Literatur
›Les Tendances Nouvelles‹, Paris, Juni 1908,
Nr. 36, Abb. S. 742
›Der Sturm‹ Berlin, April 1913,
Nr. 156/157 Abb. S. 11

24.2

5 Im Café II 1907–08

Titel nicht original
Holzschnitt 6,7 x 4,6 cm
U.l. im Stock monogrammiert
Helms Nr. 25

25.1 GMS 854
Holzschnitt auf Japanpapier,
Blattgröße: 8,7 x 5,9 cm
Druck: schwarz

Ein weiteres Exemplar bekannt.
Eine seitenverkehrte Werkzeichnung und der
Holzstock vorhanden.

Literatur
›Les Tendances Nouvelles‹, Paris ,
Juni 1908, Nr. 36, Abb. S. 741
›Der Sturm‹ Berlin, April 1913,
Nr. 156/157, Abb. S. 11

25.1

26 Kind mit Flasche um 1907

Farbholzschnitt 17 x 23,9 cm
Hauskatalog Nr. 9
Helms Nr. 29

Das kindliche Modell auf diesem Holz-schnitt ist Münters Nichte Elfriede (Friedel) Schroeter, die als Tochter ihrer Schwester Emmy 1901 in Bonn geboren wurde. Mehre-re, bereits um 1904 entstandene Entwürfe zeigen Friedel, auch mit ihrem Kosenamen »Bümmchen« genannt, ihrem Alter entspre-chend noch als Kleinkind. Den Holzschnitt mit diesem Motiv arbeitete Münter jedoch erst um 1907 in Paris aus. Kurz nach dem Ende des Pariser Aufenthaltes schreibt Kan-dinsky an Münter am 7. Juli 1907 aus Bad Reichenhall über die ihm zur Ansicht geschickten Exemplare dieses Holzschnitts: »Beide Bümmchen gefallen mir *sehr* gut u. besonders das hellere ohne Rosakissen. Beide sind aber originell, sehr geschmack-voll, ornamental u. haben einen feinen Hauch v. caché. Gratuliere! Ich habe im gan-zen diesen Holzschnitt ziemlich vergessen u. finde das alles, was oben steht. Es ist sicher u. kräftig in der Zeichnung u. dabei elegant, zart u. direkt duftend. Ich fühle darin deine hübschen Hände u. möchte sie küssen.«

26.1 GMS 861
Holzschnitt auf Maschinenpapier,
Blattgröße: 23,3 x 27 cm
Druck: schwarz   *nicht abgebildet*
26.2 GMS 862
Holzschnitt auf Maschinenpapier,
Blattgröße: 19,6 x 33,5 cm
Bez. o.r. eigenhändig in Blei: »Die
Augen sind auf der Farbenplatte«
Druck: schwarz
26.3 GMS 863
Farbholzschnitt auf Maschinenpapier,
Blattgröße: 19,8 x 27,4 cm
Druck: rosa, violett, gelb
26.4 GMS 864
Farbholzschnitt auf Maschinenbütten,
Blattgröße: 22,9 x 33,5 cm
R.u.: Farbspuren
Druck: rosa, violett, hellblau, hellgrün
26.5 GMS 865
Farbholzschnitt auf Japanpapier,
Blattgröße: 20,6 x 26,1 cm
Druck: dunkelblau, blau, olivgrün, rot,
rosa, gelb, violett
26.6 GMS 866
Farbholzschnitt auf Japanpapier,
Blattgröße: 18,6 x 25,4 cm
Bez. u.l. eigenhändig in Blei: »Holz-
schnitt. Handdruck.«, u.r.: »Münter.«
Druck: schwarz, hellblau, türkis, rosa,
grau, braun

Außer den sechs im Lenbachhaus vorhande-nen Exemplaren sind acht weitere Exemplare in verschiedenen Farbstellungen bekannt. Zwei Entwürfe, eine Vorzeichnung in einem Skizzenbuch (1904 datiert), eine seitenver-kehrte Werkzeichnung sowie zwei Holz-stöcke vorhanden.

26.7 Seitenverkehrter Entwurf: Kon. 40/26,
Aquarell und Bleistift, 15,3 x 22,4 cm.
Bez. o. Mitte eigenhändig in Blei:
»gelbbraun + blau«
26.8 Entwurf: Kon. 40/27, Aquarell und Bleistift, 14,4 x 22,6 cm. Bez. o.l. eigenhändig in Blei: »gelb«, rückseitig o. Mitte in
Blei: »Entwurf zu Holzschnitt 1904«
26.9 Skizzenbuch Kon. 37/7, S. 11: eine seitenverkehrte Skizze (datiert »25.IX.04«)

Ausstellungen
Paris 1907, Salon d'Automne
Köln 1908, Kunstsalon Lenoble
Bonn 1908, Salon Cohen

26.7

26.5

26.3

26.4

26.6

27 Heustadel um 1907–08

Titel nicht original
Holzschnitt 4,9 x 7,8 cm
U.l. im Stock monogrammiert
Helms Nr. 44

Die zeitliche Einordnung dieses von Sabine Helms »um 1912« datierten Holzschnitts, von dem kein Einzeldruck zu Münters Lebzeiten bekannt ist, fällt nicht leicht. Doch gibt das offenbar nicht im oberbayerischen Murnau, sondern entweder auf der Schweizer Reise im Juli 1907 oder in Südtirol im Frühjahr 1908 gefundene Motiv einen ersten Anhaltspunkt. Münter fertigte dazu mehrere kleinformatige Entwürfe in Tusche auf dünnem Papier, die offensichtlich als Vorlage für einen geplanten Holzschnitt dienen sollten. Dieser wurde, für lange Zeit übersehen, in derselben Nummer der Pariser Zeitschrift ›Les Tendances Nouvelles‹ wie *Parkbank* (Kat. 22) vom Februar 1909 veröffentlicht. Auch mit seinen holzstichartigen Linien steht er stilistisch einigen anderen Illustrationen Münters für diese Zeitschrift nahe (s. auch Kat. 23–25).

Holzhütten am Berghang, 1907, Photographie: Gabriele Münter

27.2

27.3

27.1 Kein eigenhändiger Druck zu Münters Lebzeiten von diesem Stock bekannt. Abzug vom Holzstock 1967, für die Abbildung im Werkkatalog Helms Nr. 44 (s.a. Kat. 75, 79).

Drei Entwürfe und eine Skizzenbuchzeichnung vorhanden.

27.4

27.2 Entwurf: GMS 1083, Schwarze Feder, 6,8 x 8,3 cm. Skizzenbuchseite
27.3 Entwurf: GMS 1084, Schwarze Feder auf gelbem Papier, 8 x 9,2 cm.
27.4 Entwurf: GMS 1085, Schwarze Feder auf weißem Pergament, 7,6 x 10,9 cm.
27.5 Skizzenbuch: Kon. 46/23, loses Blatt

Literatur
›Les Tendances Nouvelles‹, Nr. 40, Paris, Februar 1909, S. 875

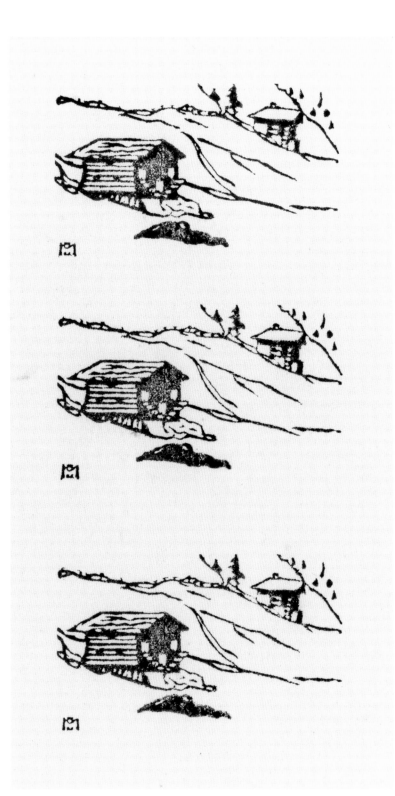

27.1

28 Kind mit Puppe um 1907–08

Vermutlich Holzschnitt 12,3 x 6,7 cm
U.r. im Stock monogrammiert
Helms Nr. 26

Für *Kind mit Puppe*, 1908 in der Zeitschrift
›Les Tendances Nouvelles‹ reproduziert, griff
Münter auf eine Skizzenbuchzeichnung von
ihrer kleinen Nichte Elfriede Schroeter
zurück, die sie während eines Aufenthaltes
im Frühjahr 1904 angefertigt hatte, als sie auf
den Antritt der gemeinsamen Reise mit Kandinsky nach Holland wartete, zu der beide
Ende Mai aufbrachen. Den Auftrag einer
Druckgraphik für die Zeitschrift vor Augen,
übertrug Münter offenbar diese frühe Skizze
in eine detailliert durchgeführte Fettkreide-
zeichnung, die dem Holzschnitt sehr nahe-
kommt. Diese Zeichnung findet sich in
einem Skizzenbuch, das von der Reise nach
Südtirol (Mai 1908) bis zum ersten Aufenthalt in Murnau reicht (August bis September
1908), und in dem sich bemerkenswerterweise auch eine sehr ausgearbeitete, im
Hintergrund geschwärzte Zeichnung zu
Kandinsky am Harmonium (s. auch Kat. 15)
befindet. Die Datierung der Skizzenbuchseite von *Kind mit Puppe*, »Murnau 20. XI«,
dürfte sich auf die nebenstehende Baum-
studie beziehen, da *Kind mit Puppe* bereits
im Juni 1908 publiziert wurde.

28.1 GMS 855
Vermutlich Holzschnitt auf Japanpapier,
Blattgröße: 14,9 x 7,8 cm
Mit Umrandung
Druck: schwarz
28.2 GMS 856
Vermutlich Holzschnitt auf Japanpapier,
Blattgröße: ca. 14 x 9,8 cm
Druck: schwarz

Außer den zwei im Lenbachhaus vorhandenen Exemplaren ist ein weiteres Exemplar
bekannt.
Zwei Entwürfe in zwei Skizzenbüchern
(1903–04, 1908 datiert) und eine seitenverkehrte Werkzeichnung vorhanden.

28.3 Skizzenbuch: GMS 1071, S. 14
28.4 Skizzenbuch: Kon. 37/10, S. 41, Blei,
        Fettkreide, datiert »Murnau 20. IX.«

Literatur
›Les Tendances Nouvelles‹, Paris, Juni 1908,
        Nr. 36, Abb. S. 735

Ausstellungen
München 1962, Städtische Galerie, Nr. 139

28.4

28.1

28.2

29 Wäsche am Strand 1907–08

Farblinolschnitt 13,4 x 23,4
U.r. im Stock monogrammiert
Hauskatalog Nr. 12
Helms Nr. 27

Münter hat das Motiv von »Barken, Wäsche« am Strand von Rapallo während ihres dortigen Aufenthaltes im Winter 1905/06 in mehreren kleineren Ölgemälden, einer schönen, farbigen Gouache und einer Reihe von Photos festgehalten. Ganz offensichtlich faszinierte sie die Struktur der Formen, die sie im Linolschnitt, auf mehrere Vorstudien zurückgehend, in vergleichsweise abstrakter Weise verknappte. Das Besondere an diesem Druck sind ferner die mit zarten Aquarellfarben eingefärbten Platten und der kaum mehr sichtbare Konturstock. In ihrem ›Hauskatalog‹ notierte Münter zur Farbgebung: »Contur: weiß mit ultram.[arine] u. krapp u. émeraude [smaragd].« Auch den Linolschnitt *Wäsche am Strand*, den Münter erstmals im Mai 1908 im Kunstsalon Lenoble in Köln ausstellte, schuf sie ganz offensichtlich erst über zwei Jahre nach der Notierung dieser Szene am Strand von Rapallo.

29.1 GMS 857
Linolschnitt auf Maschinenpapier, Blattgröße: 23,2 x 33,6 cm
Nicht monogrammiert
Bez. o.l. eigenhändig in Blei: »Gering (?) unter rosa, ohne Kleid. u. Wäsche Kontur blau grün.«
Druck: schwarz. *Nicht abgebildet.*

29.2 GMS 858
Farblinolschnitt auf Japanpapier, Blattgröße: 14,8 x 24,2 cm
Bez. u.l. eigenhändig in Blei: »Handdruck.«, u.r.: »G. Münter.«
Druck: blau, grün, rot, gelb, rosa, braun

29.3 GMS 859
Farblinolschnitt auf Japanpapier, Blattgröße: 13,6 x 24 cm
Druck: blau, blaugrau, rosa, rot, grün, gelb, braun

Außer den drei im Lenbachhaus vorhandenen Exemplaren sind 13 weitere Exemplare in verschiedenen Farbstellungen bekannt. Zwei Entwürfe, eine Vorzeichnung in einem Skizzenbuch (1905 datiert), eine seitenverkehrte Werkzeichnung, sowie zwei Linolstöcke vorhanden.

29.4 Entwurf: GMS 1090, Farbkreide, schwarze Feder, Aquarell und Bleistift, 17,5 x 32 cm. Am rechten Rand Farbangaben, rückseitig: Bootsstudie (Bleistift)

29.5 Entwurf: Kon 34/3, Gouache, 15,5 x 25 cm

29.6 Skizzenbuch: Kon. 37/7, S. 84, datiert »27. XII. 05.«

Ausstellungen
Köln 1908, Kunstsalon Lenoble
Bonn 1908, Salon Cohen
Paris 1908, Salon d'Automne

Boote am Strand mit Wäscheleine, 1905/06.
Photographie: Gabriele Münter

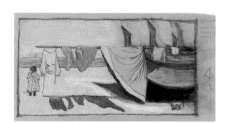

29.4

29.5

29.2

29.3

30 Rosengärtchen 1907–08

Farblinolschnitt 16,5 x 20 cm
Hauskatalog Nr. 23
Helms Nr. 28

Der äußerst reizvolle, formvollendete Farblinolschnitt *Rosengärtchen* steht stilistisch der Graphik *Wäsche am Strand* (Kat. 29) nahe, wobei Münter in diesem Fall ganz auf den Konturenstock verzichtet und nur mit dem Druck verschiedener Farbfelder über- und nebeneinander arbeitet. Die souveräne Beherrschung des Farbendrucks zeigt sich auch in der Handhabung von insgesamt fünf, mit unterschiedlichen Aquarellfarben eingefärbten Linolstöcken, der höchsten Plattenzahl, die Münter je für einen ihrer Drucke verwandte. Die genaue Vorlage für das Motiv des *Rosengärtchens* ist nicht bekannt; eventuell wurde Münter durch die Ansicht eines idyllischen, mit Rosenstöcken geschmückten Vorgartens angeregt, die sie auch in einem Photo festgehalten hat. Auch dieses Photo, eventuell 1905 in Sachsen aufgenommen, konnte bislang topographisch nicht eindeutig zugeordnet werden.

30.1 GMS 860
Farblinolschnitt auf Japanpapier,
Blattgröße: 17,4 x 21,8 cm
Bez. u. l. eigenhändig in Blei:
»Handdruck.«, u. r.: »G. Münter«
Druck: blau, grün, gelb, hellrot, rosa
30.2 GMS 860/2
Farblinolschnitt auf Japanpapier,
Blattgröße: ca. 18,5 x 22 cm
Druck: blau, grün, gelb, rosa

Zwei weitere Exemplare in verschiedenen Farbstellungen bekannt.
Eine seitenverkehrte Werkzeichnung und fünf Linolstöcke vorhanden.

Ausstellungen
Köln 1908, Kunstsalon Lenoble
Bonn 1908, Salon Cohen
München 1962, Städtische Galerie, Nr. 142

Vorgarten mit Blumenstöcken, 1905. Photographie:
Gabriele Münter

30.2

31 Schlafendes Kind 1908

Farbholzschnitt 16,7 x 23,6 cm
U.r. im Stock monogrammiert
Hauskatalog Nr. 22
Helms Nr. 30

Schlafendes Kind stellt Münters Nichte Elfriede (Friedel) Schroeter dar, die bereits als Modell für die Holzschnitte *Kind mit Flasche* und *Kind mit Puppe* (Kat. 26, 28) diente. Doch anders als bei diesen Druckgraphiken griff Münter nicht auf Jahre zurückliegende Zeichnungen von Friedel als Kleinkind zurück, sondern schuf diesen Holzschnitt nach unmittelbar vorausgehenden Entwürfen, von denen einer mit »Friedel 1908« datiert ist. Alle Farbzustände dieses ebenso ästhetisch effektvollen wie klarlinig wirkenden Holzschnitts variieren die Grundtöne der schönen, farbig ausgearbeiteten und dem Druck sehr ähnlichen Temperazeichnung: Moosgrün im Hintergrund und Altrosa der Bettdecke, unter der das blonde Mädchen, von einer Harlekinpuppe bewacht, friedlich schläft. Eine Umzeichnung in Farbstiften schuf Münter zur gleichen Zeit für ›Friedels Bilderbuch‹ (s. auch Kat. 32).

31.1 GMS 867
Holzschnitt auf Maschinenpapier,
Blattgröße: ca. 22,3 x 33,7 cm
Nicht monogrammiert
Druck: grün

31.2 GMS 868
Holzschnitt auf Maschinenpapier,
Blattgröße: 20,4 x 27,7 cm
Nicht monogrammiert
Druck: schwarz   *nicht abgebildet*

31.3 GMS 869
Farbholzschnitt auf Japanpapier,
Blattgröße: 22,2 x 28,4 cm
Nicht monogrammiert
Druck: grün, olivgrün, rot, blau, rosa, gelb

31.4 GMS 870
Holzschnitt auf Maschinenpapier,
Blattgröße: 19,9 x 27,7 cm
Druck: schwarz, Deckweiß

31.5 GMS 871
Farbholzschnitt auf Japanpapier,
Blattgröße: 17,7 x 24,6 cm
Druck: grün, blau, rosa, rot, gelb, braun

31.6 GMS 872
Farbholzschnitt auf Japanpapier,
Blattgröße: 21,8 x 28,7 cm
Druck: grün, rot, blau, lila, gelb, rosa

Außer den sechs im Lenbachhaus vorhandenen Exemplaren ist ein weiteres Exemplar bekannt.
Drei Entwürfe (1908 datiert), eine seitenverkehrte Werkzeichnungen, eine Detail-Werkzeichnung, sowie zwei Holzstöcke vorhanden.

31.7 Entwurf: GMS 1088, Tempera und Bleistift auf grauem Papier, 19,7 x 26,5 cm

31.8 *a–b* Entwürfe: Kon. 40/121 a–b: a) Bleistift auf Pergament, ca. 7,2 x 6,2 cm (Kopfstudie) b) Bleistift, 10 x 17,7 cm. Bez. u.r. eigenhändig in Blei: »Friedel 1908«

Ausstellungen
Paris 1908, Salon des Indépendants
Köln 1908, Kunstsalon Lenoble
Bonn 1908, Salon Cohen
München 1909, Neue Künstlervereinigung, Nr. 118
Odessa 1909, Wanderausstellung des Salon Isdebsky
München 1962, Städtische Galerie, Nr. 141 (unter dem Titel »Bümmchen eingeschlafen«)

31.7

31.1

31.6

31.3

31.4

31.5

32 Auguste ist krank 1908

Spielzeug Nr. 1
Farblinolschnitt 9,5 x 12,3 cm
U.l. im Stock monogrammiert und beschriftet: Auguste ist krank!
Hauskatalog Nr. 16
Helms Nr. 31

Von Winter 1907 bis zum April 1908 hielten sich Münter und Kandinsky in Berlin auf, wohin Münters Schwester Emmy mit ihrem Mann Georg Schroeter mittlerweile von Bonn aus umgezogen war. Als Gast in deren Wilmersdorfer Wohnung schuf Münter in den ersten Monaten des Jahres 1908 nicht nur das Bild ihrer schlafenden Nichte Friedel (Kat. 31), sondern für Friedel eine ganze Serie von Farblinolschnitten mit Spielzeugfiguren des Kindes (s. auch Kat. 33–36). Als einziges Blatt dieser Serie, in der sie die heimliche Lebendigkeit der Puppen und Teddys gut zu betonen wußte, zeichnete Münter das Motiv *Auguste ist krank* nochmals mit Farbstiften in ›Friedels Bilderbuch‹, an dem sich neben Wassily Kandinsky auch die Künstlerfreunde Alexej Jawlensky, Marianne von Werefkin, Alexander Sacharoff und Wladimir von Bechtejeff beteiligten.

32.1 GMS 873
Farblinolschnitt auf Japanpapier,
Blattgröße: 10,2 x 12,7 cm
Bez. u.l. eigenhändig in Blei: »Handdruck.«, u.r.: »G. Münter.«
Druck: braun, grün, blau, orange, rosa

32.2 GMS 874
Farblinolschnitt auf Japanpapier,
Blattgröße: 11 x 13,9 cm
Bez. u.l. eigenhändig in Blei: »Handdruck.«, u.r.: »G. Münter.«
Druck: dunkel-, hellbraun, blau, grün

Außer den zwei im Lenbachhaus vorhandenen Exemplaren sind vier weitere Exemplare in verschiedenen Farbstellungen bekannt. Eine seitenverkehrte Werkzeichnung sowie zwei Linolstöcke vorhanden.

Literatur
›Der Guckkasten‹ 1911. Nr. 1, S. 4

Ausstellungen
Paris 1908, Salon des Indépendants
Köln 1908, Kunstsalon Lenoble
Bonn 1908, Salon Cohen
Baden-Baden 1960, Staatliche Kunsthalle, Nr. 145

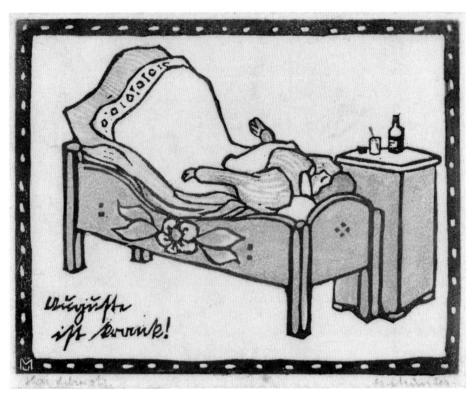

32.1

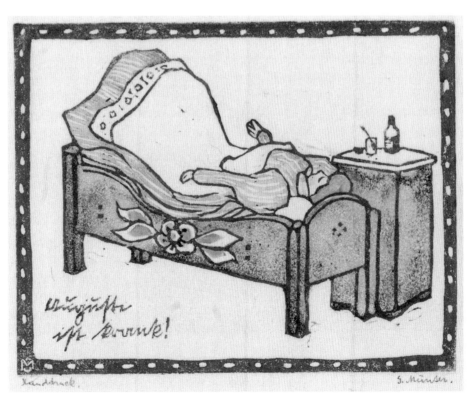

32.2

33 Tünnes und Gesellschaft 1908

Spielzeug Nr. 2
Farblinolschnitt 13,3 x 21,8 cm
U.l. im Stock monogrammiert
Hauskatalog Nr. 17
Helms Nr. 32

Im Mai und Juni 1908 stellte Münter alle ihre seit dem Pariser Aufenthalt entstandenen »24 Farbgravüren« im Kunstsalon Lenoble in Köln, anschließend in Bonn aus. Auch die komplette *Spielzeug*-Serie, die Münter in ihrem Hauskatalog durchnumerierte, war dabei und bildet als zuletzt entstandene Gruppe gleichsam den Abschluß von Münters druckgraphischem »Frühwerk«. Der ›Bonner Generalanzeiger‹ hob in seiner Kritik zu dieser Ausstellung am 16. Juni 1908 besonders die *Spielzeug-Serie* hervor: »Gabriele Münters Kinderstubenbilder sind in der Groteskheit der gezeichneten Figuren und Situationen sehr unterhaltsam. Auch haben sie einen gewissen Reiz der Originalität. Einzelne erinnern an die bemalten komischen Holzfiguren, mit welchen das in Süddeutschland sehr bekannte humorvoll-naive Münchener Kasperltheater Groß und Klein auf den Messen erfreut. Zu loben ist der saubere, gut abgeschattete Druck dieser flott gearbeiteten Holzschnitte, deren Abzüge ohne das Hülfsmittel der Druckpresse mit der Hand bewerkstelligt sind.«

33.1 GMS 875
Farblinolschnitt auf Japanpapier,
Blattgröße: 17,5 x 26,1 cm
Bez. u.l. eigenhändig in Blei: »Holzschnitt. Probedruck.«, u.r.: »Münter.«
Einfassungslinie
Druck: schwarz, blau, rot, rosa, grün, gelb, braun, grau

33.2 GMS 876
Farblinolschnitt auf Japanpapier,
Blattgröße: 13,7 x 22,2 cm
Bez. u.l. eigenhändig in Blei: »Linolschnitt. Probedruck.«, u.r.: »Münter.«
Druck: schwarz, blau, rot, gelb, grau, grün, orange

33.3 GMS 877
Farblinolschnitt auf Japanpapier,
Blattgröße: ca. 16 x 22,8 cm
Bez. u.l. eigenhändig in Blei: »Holzschnitt. Handdruck.«, u.r.: »G. Münter.«
Druck: schwarz, grau, rot, braun, blau, grün, orange, gelb

Außer den drei im Lenbachhaus vorhandenen Exemplaren sind drei weitere Exemplare in verschiedenen Farbstellungen bekannt. Ein Entwurf in einem Skizzenbuch (1908 datiert), eine seitenverkehrte Werkzeichnung (mit Farbangaben), sowie drei Linolstöcke vorhanden.

33.4 Skizzenbuch: Kon. 37/10, S. 31

Ausstellungen
Paris 1908, Salon des Indépendants
Köln 1908, Kunstsalon Lenoble
Bonn 1908, Salon Cohen
München 1909, Neue Künstlervereinigung, Nr. 115
Hamburg 1909, Salon Louis Bock
Schwerin 1909, Museum
Odessa 1909, Wanderausstellung des Salon Isdebsky
Baden-Baden 1960, Staatliche Kunsthalle, Nr. 142

33.1

33.2

34 Onkel Sam und Gesellschaft 1908

Spielzeug Nr. 3
Farblinolschnitt 13,2 x 21,8 cm
U.r. im Stock monogrammiert
Hauskatalog Nr. 18
Helms Nr. 33

34.1 GMS 878
    Farblinolschnitt auf Japanpapier,
    Blattgröße: 14,8 x 23 cm
    Bez. u.l. eigenhändig in Blei:
    »Linoleumschnitt«, u.r.: »Münter.«
    Druck: schwarz, braun, hellbraun,
    blau, grau, rot
34.2 GMS 879
    Farblinolschnitt auf Japanpapier,
    Blattgröße: ca. 15,5 x 24 cm
    Bez. u.l. eigenhändig in Blei: »Holz-
    schnitt. Handdruck.«, u.r.: »Münter.«
    Druck: schwarz, blau, grün, rot, grau,
    braun, hellbraun

Außer den zwei im Lenbachhaus vorhandenen Exemplaren sind fünf weitere Exemplare
in verschiedenen Farbstellungen bekannt.
Ein Entwurf in einem Skizzenbuch (1908
datiert), eine seitenverkehrte Werkzeichnung
(Soldat), eine seitenverkehrte Werkzeichnung (Onkel Sam, Teddy, mit Farbangaben),
sowie zwei Linolstöcke vorhanden.

34.3 Entwurf: Skizzenbuch Kon. 37/10, S. 33

Ausstellungen
Paris 1908, Salon des Indépendants
Köln 1908, Kunstsalon Lenoble
Bonn 1908, Salon Cohen
München 1909, Neue Künstlervereinigung,
    Nr. 114
Hamburg 1909, Salon Louis Bock
Schwerin 1909, Museum
Odessa 1909, Wanderausstellung des
    Salon Isdebsky
Baden-Baden 1960, Staatliche Kunsthalle,
    Nr. 143
München 1962, Städtische Galerie, Nr. 145
    (hier »Paris 1907« datiert)

35 Im Gespräch 1908

Spielzeug Nr. 4
Farblinolschnitt 16,7 x 18,7 cm
U.l. im Stock monogrammiert
Hauskatalog Nr. 19
Helms Nr. 34

35.1 GMS 880
Farblinolschnitt auf Japanpapier,
Blattgröße: ca. 23,6 x 24,5 cm
Druck: rot, rosa, grün, blau, braun
35.2 GMS 881
Farblinolschnitt auf Japanpapier,
Blattgröße: ca. 19,3 x 20,4 cm
Druck: grün, braun, blau, rosa,
weinrot, orange
35.3 GMS 882
Farblinolschnitt auf Japanpapier,
Blattgröße: 18 x 19,6 cm
Bez. u.l. eigenhändig in Blei: »Hand-
druck.«, u.r.: »G. Münter.«
Druck: grün, rot, blau, braun, rosa

Außer den drei im Lenbachhaus vorhandenen Exemplaren sind neun weitere Exemplare in verschiedenen Farbstellungen bekannt.
Ein Entwurf in einem Skizzenbuch (1908
datiert), eine seitenverkehrte Werkzeichnung
sowie drei Linolstöcke vorhanden.

35.4 Skizzenbuch: Kon. 37/10, S. 29

Ausstellungen
Paris 1908, Salon des Indépendants
Köln 1908, Kunstsalon Lenoble
Bonn 1908, Salon Cohen
München 1909, Neue Künstlervereinigung,
    Nr. 116
Hamburg 1909, Salon Louis Bock
Schwerin 1909, Museum
Odessa 1909, Wanderausstellung des
    Salon Isdebsky
München 1962, Städtische Galerie,
    Nr. 146 (hier »Paris 1907« datiert)

35.1

35.2

35.3

36 Gute Nacht 1908

Spielzeug Nr. 5
Farblinolschnitt 15,7 x 19,8 cm
U. r. im Stock monogrammiert
Hauskatalog Nr. 20i
Helms Nr. 35

36.1 GMS 883
Farblinolschnitt auf Japanpapier,
Blattgröße: 16,8 x 20,6 cm
Bez. u. l. eigenhändig in Blei:
»G. Münter.«, u. r.: »Handdruck.«
Druck: grün, hellgrün, rot, blau, braun

36.2 GMS 884
Farblinolschnitt auf Japanpapier,
Blattgröße: 17,4 x 20,8 cm
Bez. u. l. eigenhändig in Blei: »Hand-
druck.«, u. r.: »G. Münter.«
Druck: hell-lila, rot, braun, grün,
hellgrün, blau

Außer den zwei im Lenbachhaus vorhandenen Exemplaren sind drei weitere Exemplare
in verschiedenen Farbstellungen bekannt.
Ein Entwurf, eine seitenverkehrte Werkzeichnung sowie drei Linolstöcke vorhanden.

36.3 Entwurf: Kon 34/34, Bleistift,
16,7 x 21,4 cm

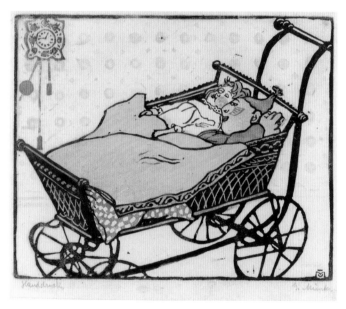

36.2

37 Neujahrswunsch 1909

Farbholzschnitt 8,6 x 12 cm
Im Stock monogrammiert und beschriftet: Prosit Neujahr 1909
Hauskatalog Nr. 26
Helms Nr. 36

Für 1909 und die folgenden Jahre 1910 und 1911 fertigte Münter jeweils einen *Neujahrswunsch* an, ein weiterer entstand für das Jahr 1913 (s. auch Kat. 38, 40, 45).
Auffallend ist in den Motiven der drei erstgenannten Jahre der leicht humoristische, spielzeughaft-naive Zug. Im vorliegenden Blatt wählte Münter als Hauptfigur einen kleinen Spielzeugvogel im bunten Frack, neben einem Blumentopf und Kuchen mit den Aufschriften »1909« und »Prosit Neujahr«. Im Herbst 1908 tauchen in ihren Murnauer Stilleben und Skizzenbüchern erstmals kleine volkstümliche, geschnitzte Gegenstände, meist Spielzeug auf, darunter das bekannte »Klapperpüppchen«, das sie bis ins hohe Alter besaß und in einige ihrer Gemälde aufnahm. Auf einem farbigen Skizzenbuchblatt dieser Zeit ist der kleine buntgekleidete Vogel neben dem »Klapperpüppchen« zu sehen (37.3). Münter verschickte ihren *Neujahrswunsch* an Freunde und Bekannte, unter anderem an Alexis Mérodack-Jeaneau, den Herausgeber der ›Tendances Nouvelles‹, der sich von diesem zarten selbstgefertigten Gruß so angetan zeigte, daß er darüber eine positive Kritik in seiner Zeitschrift schrieb.

37.1 GMS 885
Farbholzschnitt auf Japanpapier,
Blattgröße: 9,2 x 12,5 cm
Bez. u. l. eigenhändig in Blei: »Original Holzschnitt.«, u. r.: »G. Münter.«
Druck: rot, grün, blau, braun, gelb

37.2 GMS 886
Farbholzschnitt auf Japanpapier,
Blattgröße: 9,5 x 12,9 cm
Bez. u. l. eigenhändig in Blei: »Original Holzschnitt.«, u. r. : »G. Münter.«
Ohne Jahreszahl 1909. Nicht monogrammiert.
Druck: rot, gelb, grün, blau, dunkelblau, braun. Blumentopf handkoloriert.

Außer den zwei im Lenbachhaus vorhandenen Exemplaren sind 28 weitere Exemplare in verschiedenen Farbstellungen bekannt. Zwei Vorzeichnungen in einem 1908 datierten Skizzenbuch, (laut Helms: drei Entwürfe), eine seitenverkehrte Werkzeichnung sowie drei Holzstöcke vorhanden.

37.3 Skizzenbuch Kon. 37/10, S. 71, 75,
z. T. farbige Studien (Aquarell)

Ausstellungen
München 1909, Neue Künstlervereinigung,
Nr. 108
Odessa 1909, Wanderausstellung des
Salon Isdebsky

37.3

37.1

37.2

38 Neujahrswunsch 1910

Farbholzschnitt 13,7 x 10,5 cm
U.r. im Stock monogrammiert u. beschriftet: Prosit Neujahr 1910
Hauskatalog Nr. 27
Helms Nr. 37

Die *Neujahrswünsche* der Jahre 1909 bis 1911 (s. auch Kat. 37, 40) sind die einzigen Holzschnitte Münters, die sie nicht selbst im Handdruck-Verfahren herstellte, sondern als Maschinendruck vervielfältigen ließ. Während sie nach dem Eintrag in ihrem ›Hauskatalog‹ den *Neujahrswunsch 1909* zum Teil bei Prantl, einem gehobenen Schreibwarenladen in bester Innenstadtlage, verkaufte, wurden der *Neujahrswunsch 1910* und *1911* in der Schreibwaren- und Buchhandlung von Schmidt Bertsch teilverkauft.

38.1 GMS 887
Farbholzschnitt auf Japanpapier,
Blattgröße: 15,1 x 11,5 cm
Bez. u.l. eigenhändig in Blei:
»Holzschnitt.«, u.r.: »G. Münter.«
Druck: grün, braun

38.2 GMS 888
Farbholzschnitt auf Japanpapier,
Blattgröße: 15,2 x 11, 4 cm
Bez. u.r. eigenhändig in Blei:
»G. Münter.«
Druck: rot, grün

38.3 GMS 889
Farbholzschnitt auf Japanpapier,
Blattgröße: 14,6 x 11,2 cm
Bez. u.r. eigenhändig in Blei:
»G. Münter.«
Druck: blau, gelb

Außer den drei im Lenbachhaus vorhandenen Exemplaren sind 39 weitere Exemplare in verschiedenen Farbstellungen bekannt. Mehrere Entwürfe in zwei Skizzenbüchern (1910 datiert), eine seitenverkehrte Werkzeichnung sowie zwei Holzstöcke vorhanden.

38.4 Skizzenbuch: GMS 1130, S. 21
38.5 Skizzenbuch: Kon. 37/11, S. 8, 9, 11

Ausstellungen
München 1909, Neue Künstlervereinigung,
　　Nr. 109

38.2

38.3

Holzschnitt.   G. Münter

38.1

39 Heuhaufen um 1910/11

Farbholzschnitt 16,4 x 24,5 cm
U.r. im Stock monogrammiert
Hauskatalog Nr. 25
Helms Nr. 48

Der schöne Farbholzschnitt *Heuhaufen*, der
zu den bekanntesten Druckgraphiken Münters gehört, wurde von Sabine Helms »um
1913« datiert und soll hier auf eine Entstehungszeit um 1910/11 angesetzt werden. Die
charakteristischen Heuhaufen oder »Strahdrischen« der Gegend um Murnau wurden
ein bevorzugtes Motiv in Münters gesamtem
Schaffen, das sie bis in ihre späten Jahre in
verschiedenen Techniken – Öl, Tempera,
Aquarell, Zeichnung und Holzschnitt – verarbeitete. Eine erste querformatige Skizze
dieses Motivs, die dem Farbholzschnitt
bereits sehr nahesteht, findet sich in einem
Murnauer Skizzenbuch von 1909. Ein farbig
ausgeführtes Blatt in Öl und Aquarell mit
den charateristischen dunklen Konturen, die
auch im Holzschnitt in wechselnden Farbstellungen die Bildelemente umschließen, ist
auf grau getöntem Papier gearbeitet (39.5).
Solche getönten Papiere benutzte Münter
1910/11 mehrfach für wichtige farbige
Originalzeichnungen, von denen sie einige
auf der 2. Blauen Reiter-Ausstellung im
Frühjahr 1912 ausstellte.
Im Holzschnitt *Heuhaufen* erzielt sie mit der
unterschiedlichen, aquarellzarten Einfärbung
der Stöcke differenzierte Farbeffekte, unter
denen der Eindruck einer goldenen Abend-
stimmung besonders gelungen ist.

39.1 GMS 906
Farbholzschnitt auf Japanpapier,
Blattgröße: 21,1 x 30,6 cm
Druck: blau, gelb, rot, grün, rosa
39.2 GMS 907
Farbholzschnitt auf Japanpapier,
Blattgröße: 20,9 x 30,5 cm
Druck: blau, grün, rosa, orange, gelb
und Bleinotizen in den Heuhocken
39.3 GMS 908
Farbholzschnitt auf Japanpapier,
Blattgröße: 20,7 x 30,5 cm
Druck: orange, blau, grün, gelb
39.4 GMS 909
Farbholzschnitt auf Japanpapier,
Blattgröße: 20,4 x 30,8 cm
Bez. u.M. von fremder Hand in Blei:
»Japan«
Druck: grün, olivgrün, blau, rosa mit
Aquarell übergangen, rechts außerhalb
der Darstellung Pinselabstrich. Teil-
weise unscharf.

Außer den vier im Lenbachhaus vorhandenen Exemplaren sind vier weitere Exemplare
in verschiedenen Farbstellungen bekannt.
Ein Entwurf, eine Skizze, sowie drei Holzstöcke vorhanden.

39.5 Entwurf: GMS 1026, Aquarell und
    Öl auf grauem Papier, 21 x 28 cm
39.6 Skizzenbuch: Kon. 46/30, S. 23

39.5

9.1

39.2

9.3

39.4

40 Neujahrswunsch 1911

Farbholzschnitt 11 x 19,5 cm
U.r. im Stock monogrammiert und beschriftet: Prosit 1911
Hauskatalog Nr. 28
Helms Nr. 38

Ein Exemplar des *Neujahrswunsches 1911* (s. auch Kat. 37, 38) hat sich als einziges Werk Gabriele Münters im Nachlaß Kandinskys im Centre Georges Pompidou, Paris, erhalten (Fonds Kandinsky, Donation Nina Kandinsky).

40.1 GMS 890
Farbholzschnitt auf Japanpapier, Blattgröße: 20,5 x 30,4 cm
Bez. u.r. eigenhändig in Blei: »G. Münter.«
Druck: blau, gelb, rot, braun, grün
nicht abgebildet

40.2 GMS 891
Farbholzschnitt auf festerem Japan-papier, Blattgröße: 20,5 x 26,7 cm
Bez. u.r. eigenhändig in Blei: »G. Münter.«
Druck: blau, gelb, rot, braun, grün

Außer den zwei im Lenbachhaus vorhandenen Exemplaren sind 63 weitere Exemplare in verschiedenen Farbstellungen bekannt. Zwei Entwürfe in einem Skizzenbuch (1909–10 datiert), sowie drei Holzstöcke vorhanden.

40.3 Skizzenbuch: Kon. 37/11, S. 16, 17

40.3

40.2

41 Bauarbeit 1912

Holzschnitt 16,9 x 21,8 cm
U.r. im Stock monogrammiert
Helms Nr. 39

Bauarbeit gehört zu einer Serie von insgesamt fünf Schwarz-Weiß-Holzschnitten, die Münter auf Anregung von Herwarth Walden Ende 1912 anzufertigen begann. Walden, der Leiter der ›Sturm‹-Galerie in Berlin, zeigte im Januar 1913 eine erste Einzelausstellung Gabriele Münters und publizierte zu diesem Anlaß von November 1912 bis Mai 1913 die Holzschnitte *Bauarbeit, Blumengießen, Bauernfamilie, Habsburger Platz* und *Neujahrswunsch 1913* in seiner Zeitschrift ›Der Sturm‹ (s. auch Kat. 42–45). Für *Bauarbeit* griff Münter auf einen Bildeindruck von 1911 zurück, zu dem sie zahlreiche, zum Teil sehr schwungvolle Skizzen angefertigt hatte. Auf einigen von ihnen finden sich auch Titel wie »Neubau«, »Arbeitspferde« und »Schuttabladen«. Den Titel *Bauarbeit* trägt auch ein Ölgemälde dieses Motivs von 1912. Für den Holzschnitt, der auf dem Umschlag der ›Sturm‹-Zeitschrift im November 1912 erschien, vereinfachte Münter die Figurendarstellung noch weiter und fügte sie in die geschlossene Komposition von offener weißer Fläche und umgebenden Schwarz ein.

Von dem Holzschnitt *Bauarbeit* wurde 1990 ein Neudruck in einer einmaligen Auflage von 150 Exemplaren hergestellt, als Neuauflage gekennzeichnet und numeriert (Handabzug vom Originalstock Gabriele Münters im Besitz der Gabriele Münter- und Johannes Eichner-Stiftung durch D.P. Druck- und Publikations GmbH, München, 150 Exemplare auf BFK Rives, 300 g/qm)

41.1 GMS 892
Holzschnitt auf dünnem Maschinenpapier, Blattgröße: ca. 17,1 x 26 cm
Probedruck: schwarz
41.2 GMS 893
Holzschnitt auf Japanpapier, Blattgröße: 16,9 x 29,2 cm
Bez. u.l. eigenhändig in Blei: »G. Münter«, u.r.: »Handdruck«
Druck: schwarz

Außer den zwei im Lenbachhaus vorhandenen Exemplaren sind drei weitere Exemplare bekannt.
Drei Entwürfe, mehrere Vorzeichnungen in einem Skizzenbuch, sowie der Holzstock vorhanden.

41.3 Entwurf: GMS 1103, Tusche, Bleistift auf Pergamentpapier, 17,5 x 26,2 cm
41.4 Entwurf: Kon. 40/36, Bleistift, 16,2 x 21 cm
41.5 Entwurf: Kon. 40/37, Bleistift, 16,3 x 21 cm, mit Farbangaben, rückseitig Tuschezeichnung
41.6 Entwurf: Kon. 40/125, Tusche auf Pergament, ca. 20,3 x 25,6 cm
41.7 Skizzenbuch: GMS 1131, S. 32,33: Skizzen, datiert 16.V.11; S. 35: Pferd. S. 47: eine Studie datiert 17.V.; S. 49–57: mehrere Studien.

Literatur
›Der Sturm‹, Berlin, November 1912, Dritter Jahrg., Nr. 136/137, Abb. S. 209

Ausstellungen
Deutschland 1949–53, Wanderausstellung

41.3

41.4

Titelbild des ›Sturm‹, November 1912

41.1

41.2

42 Blumengießen 1912

Titel nicht original
Holzschnitt 21,9 x 19,8 cm
U.r. im Stock monogrammiert
Helms Nr. 40

Der Holzschnitt *Blumengießen* aus der Serie der für Herwarth Waldens ›Sturm‹-Zeitschrift 1912/13 entstandenen Blätter (s. auch Kat. 41, 43–45) zeigt mit seinen ungewöhnlich zahlreichen, unmittelbar vorbereitenden Entwürfen in Tusche und Bleistift, daß Münter das Wiederaufgreifen der Technik des Holzschneidens, die seit 1908 gegenüber ihrer Malerei stark in den Hintergrund getreten war, offenbar nicht leicht fiel. *Blumengießen* erschien auf der letzten Innenseite der Dezember-Nummer des ›Sturm‹ und diente zugleich wenig später als Ausstellungsplakat für Münters Einzelausstellung im Januar 1913. Diese erste Kollektivausstellung, die ausschließlich Gemälde umfaßte, wurde in verkleinerter Form im März 1913 vom Kunstsalon Max Dietzel in München übernommen (s. auch Kat. 46, 47).
Von dem Holzschnitt *Blumengießen* wurde 1990 ein Neudruck in einer einmaligen Auflage von 150 Exemplaren hergestellt, als Neuauflage gekennzeichnet und numeriert (Handabzug vom Originalstock Gabriele Münters im Besitz der Gabriele Münter- und Johannes Eichner-Stiftung durch D.P. Druck- und Publikations GmbH, München, 150 Exemplare auf BFK Rives, 300 g/qm).

42.1 GMS 894
Holzschnitt auf Japanpapier,
Blattgröße: 33,7 x 24,7 cm
Druck: schwarz
42.2 GMS 895
Holzschnitt auf Maschinenbütten,
Blattgröße: 42 x 31,2 cm
Druck: schwarz mit Text als Plakat und Ausstellungskatalog der 11. Sturm-Ausstellung: Der Sturm. Wochenschrift für Kultur und die Künste. Herausgeber: Herwarth Walden. Ständige Ausstellungen. Berlin W. 10/ Königin Augusta-Straße 51. Elfte Ausstellung. G. Münter
Rückseitig: Ausstellungsliste

Acht weitere Exemplare bekannt.
Für Münters Einzelausstellung im ›Sturm‹ im Dezember 1912 wurde ein Maschinendruck vom Stock für das Ausstellungsplakat gezogen (s. Kat. 42.2).
Sechs Entwürfe und der Holzstock vorhanden.

42.3 Entwurf: GMS 1146, Bleistift beidseitig, 16,4 x 21,2 cm. Entwurf zu der endgültigen Fassung
42.4 Entwurf: GMS 1147, Tusche, Rohrfeder, 16,1 x 21,1 cm. Bez. u.l. eigenhändig in Tusche: »Mü«
42.5 Entwurf: GMS 1148, Tusche, Pinsel auf Transparentpapier, 26,4 x 25,2 cm
42.6 Entwurf: GMS 1149, Bleistift, 25,8 x 20,9 cm. Bez. u. eigenhändig in Blei: »Mü«
42.7 Entwurf: Kon 34/33, Bleistift, 16,4 x 21,1 cm, rückseitig: Mehrere Skizzen von arbeitenden Männern
42.8 Entwurf: Kon 40/05, Pinselzeichnung mit schwarzer Tusche über Bleistift mit zwei geklebten Korrekturen am Fenster und an der mittleren Vase, 26,3 x 24,2 cm. Bez. eigenhändig: »Fenster u. Nische weg/Kind gekratzt Himmel dunkel. Töpfe senkrecht«

Literatur
›Der Sturm‹, Berlin, Dezember 1912, Nr. 138/139, Abb. S. 231
Ausstellungsplakat mit rückseitiger Katalogliste der 11. »Sturm«-Ausstellung, Berlin 1913

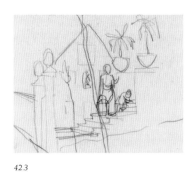

42.3

42.4

42.6

42.8

42.1

43 Bauernfamilie 1912/13

Titel nicht original
Vermutlich Holzschnitt 13 x 20 cm
Links im Stock monogrammiert
Helms Nr. 41

Bauernfamilie publizierte Herwarth Walden ebenfalls als ein Titelbild seiner Zeitschrift ›Der Sturm‹ im März 1913 (s. auch Kat. 41 – 45). Noch auffallender als in anderen von Münters ›Sturm‹-Holzschnitten ist der naiv-expressive Zug der Figurendarstellung, der in diesem Fall durch das ländliche Thema verstärkt wird. Für diesen Holzschnitt griff Münter auf ein bereits 1911 entstandenes Ölgemälde zurück, das sie für den Druck in zwei vorbereitende Schwarz-Weiß-Entwürfe übertrug.

43.1 GMS 896
Vermutlich Holzschnitt auf dünnem Maschinenpapier, Blattgröße: ca. 16,9 x 25,7 cm
Nicht monogrammiert   *nicht abgebildet*
Probedruck: schwarz
43.2 GMS 897
Vermutlich Holzschnitt auf Japanpapier, Blattgröße: ca. 17,5 x 26,2 cm
Bez. u. r. von fremder Hand in Blei: »IV Handdruck 1«
Druck: schwarz
43.3 GMS 898
Vermutlich Holzschnitt auf Japanpapier, Blattgröße: 20,7 x 27,2 cm
Druck: schwarz

Außer den drei im Lenbachhaus vorhandenen Exemplaren sind drei weitere Exemplare bekannt.
Zwei Entwürfe und eine seitenverkehrte Werkzeichnung vorhanden.

43.4 Entwurf: Kon. 40/17, Tusche und Bleistift auf Pergamentpapier, ca. 17,1 x 21,3 cm
43.5 Entwurf: Kon. 40/18, Bleistift, 13,3 x 20,2 cm, u. r. monogrammiert

Literatur
»Der Sturm«, Berlin, März 1913, Dritter Jahrg., Nr. 152/153, Abb. S. 285

43.3

Titelbild des ›Sturm‹, März 1913

Ⅴ Handdruck 1

43.2

44 Habsburgerplatz 1912/13

Vermutlich Holzschnitt 16,9 x 21,9 cm
U.l. im Stock monogrammiert
Helms Nr. 42

Als letzter aus der Serie von insgesamt fünf
Holzschnitten wurde *Habsburger Platz* auf
dem Titel der Berliner ›Sturm‹-Zeitschrift
veröffentlicht (Mai 1913). Wie auch bei
Bauarbeit oder *Bauernfamilie* (s. Kat. 41, 43)
griff Münter auf ein bereits mehr als ein
Jahr zuvor entstandenes Ölgemälde zurück
(Milwaukee Art Museum). Zwei schöne
Tuschpinselzeichnungen der großstädtischen
und beinahe eleganten Ansicht des Habs-
buger Platzes in Schwabing und weitere
Entwürfe in Tusche gehen dem Holzschnitt
ebenfalls voraus, der in diesem Fall den Stil
der Pinselzeichnung getreu wiederholt.
In diesem Heft des ›Sturm‹ wurde auch ein
Originalholzschnitt von Artur Segal publi-
ziert, ebenso ein Text von Adolf Behne über
Henri Matisse.

44.1 GMS 899
Vermutlich Holzschnitt auf Japanpapier,
Blattgröße: ca. 24,4 x 34,4 cm
Druck: schwarz

Vier weitere Exemplare bekannt.
Vier (laut Helms: fünf) Entwürfe vorhanden.

44.2 Entwurf: GMS 1104, Spaziergang,
um 1912. Tuschpinsel, 16,1 x 21 cm
44.3 Entwurf: Kon 40/6, Tuschpinsel
über Bleistift, 21,8 x 25,4 cm
44.4 Entwurf: Kon. 40/28, Tusche und Bleistift auf Pergamentpapier, 25,4 x 22 cm
44.5 Entwurf: Kon. 40/29, Tusche und Bleistift auf Pergamentpapier, 22 x 25,8 cm.
Bez. u. r. eigenhändig in Blei: »N 1«, auf
der Rückseite gepaust

Literatur
›Der Sturm‹, Berlin, Mai 1913, Vierter Jahrg.,
Nr. 162/163, Abb. S. 33

Titelbild des ›Sturm‹, Mai 1913

44.2

44.3

44.1

45 Neujahrswunsch 1913

Holzschnitt 13 x 20,9 cm
U.r. im Stock monogrammiert und beschriftet: 1913 bring euch Glück!
Helms Nr. 43

Der *Neujahrswunsch 1913* erschien als Titelbild der Zeitschrift ›Der Sturm‹ im Januar
1913, als im selben Monat auch Münters Einzelausstellung in der Berliner ›Sturm‹-Galerie
gezeigt wurde (s. auch Kat. 41–45). Während
in den anderen ›Sturm‹-Heften mit Münters
Holzschnitten auch gleichzeitig Druckgraphik von August Macke, Wilhelm Morgner,
Artur Segal und Jacob Steinhardt reproduziert wurde, handelt es sich hier um die einzige Illustration der im wesentlichen mit Tex-
ten von Albert Ehrenstein bestrittenen
Nummer. Münter experimentierte für diesen
Holzschnitt mit verschiedenen Hintergrund-
stöcken, auf denen in zwei Fällen der Hintergrund stark von den unruhigen Linien der
breiten Stege des Holzstocks beherrscht
wird. Mit diesen Versionen, die allerdings im
›Sturm‹ nicht publiziert wurden, nähert sie
sich der expressionistischen Graphik etwa
Ernst Ludwig Kirchners, Max Pechsteins
oder Edvard Munchs, von denen ebenfalls
Beispiele im ›Sturm‹ publiziert
wurden.

45.1 GMS 900
Holzschnitt auf Japanpapier,
Blattgröße: 20,6 x 26,7 cm
Druck: schwarz
45.2 GMS 901
Holzschnitt auf Japanpapier,
Blattgröße: 20,7 x 26,9 cm
Druck: schwarz
45.3 GMS 902
Holzschnitt auf Bütten,
Blattgröße: 20,6 x 30,5 cm
Bez. u.l. eigenhändig in Blei: »Holz-
schnitt.«, u.r.: »G. Münter.« Darunter:
»Mit freundlichen Grüßen für Elisabeth
Busse.«
Druck: schwarz

Außer den drei im Lenbachhaus vorhandenen Exemplaren sind zehn weitere Exemplare bekannt.
Drei Entwürfe, eine seitenverkehrte Werkzeichnung, sowie ein Holzstock vorhanden.

45.4 Entwurf: Kon. 40/20, Tusche und
Bleistift auf Pergamentpapier,
ca. 17,4 x 24,5 cm
45.5 Entwurf: Kon. 40/21, Tusche und
Bleistift auf Pergamentpapier,
ca. 17,4 x 23,2 cm. Bez. u.r. eigenhändig
in Blei: »1913 bring euch Glück«
45.6 Entwurf: Kon. 40/23, Bleistift,
13,3 x 20,2 cm, u.r. monogrammiert

Literatur
›Der Sturm‹, Berlin, Januar 1913,
Nr. 142/143, Abb. S. 245

45.2

45.3

45.1

Titelbild des ›Sturm‹, Januar 1913

46 Straße mit Hund I 1913

Titel nicht original
Vermutlich Linolschnitt 6,5 x 9,1 cm
Helms Nr. 45

46.1

46.1 GMS 903
Vermutlich Linolschnitt auf Maschinen-
papier, Blattgröße: 11,4 x 14,7 cm
Druck: schwarz

7 Straße mit Hund II 1913

Titel nicht original
Vermutlich Linolschnitt 6,5 x 9 cm
Helms Nr. 46

Die vorliegende zweite Fassung ihres kleinen
Holzschnitts *Straße mit Hund* ließ Münter in
grünem Druck als Titelvignette auf der
Katalogbroschüre ihrer Einzelausstellung im
Kunstsalon Max Dietzel in der Münchner
Königinstraße im März 1913 publizieren.
Den Hintergrund der Graphik bildet eine
Murnauer Straßenansicht, die Münter 1911
auch in zwei großen Ölgemälden mit dem
Titel *Das gelbe Haus* verarbeitete. Mit der
zweiten, farblich und formal verdichteten
Fassung dieses Gemäldes (Bayerische Staats-
gemäldesammlungen München; erste Fas-
sung: Schloßmuseum Murnau) hatte sie
damals auf Ausstellungen großen Erfolg
erzielt. Durch das Hinzufügen eines kleinen
schwarzen Hundes erhält das ihr wichtige
Motiv ein humoristisch-spielzeughaftes
Element, das die persönliche Note noch
betont.

47.1

47.1 GMS 904
      Vermutlich Linolschnitt auf Maschinen-
      papier, Blattgröße: 11,5 x 14,7 cm
      Druck: schwarz

Ein seitenverkehrter Entwurf vorhanden.

47.2 Entwurf: Kon. 40/ 126, Tusche,
      5,5 x 10,5 cm

Literatur
Als Titelblatt (in grün) auf einem Katalog-
faltblatt für die Gabriele Münter-Kollektiv-
Ausstellung des Neuen Kunstsalon Max
Dietzel, München 1913.

48 Das Russenhaus in Murnau 1913

Titel nicht original
Vermutlich Holzschnitt 7,9 x 6 cm
U.r. im Stock monogrammiert
Helms Nr. 47

Die schöne Vignette wählte Münter als rück-
seitige Abbildung auf der Katalogbroschüre
ihrer Einzelausstellung im Kunstsalon Dietzel 1913 (s. auch Kat. 47, 42). Das im Sommer 1909 von ihr gekaufte Haus in Murnau,
in der Kottmüllerallee auf einem Hügel
gegenüber dem Ortskern mit Schloß- und
Kirchhügel gelegen, hat Münter seit dieser
Zeit in vielen ihrer Werke dargestellt, in den
Jahren des Blauen Reiter vor Ausbruch des
Ersten Weltkrieges vorwiegend in Öl- oder
Hinterglasmalerei und ebenso in zahlreichen
Photographien. Der kleine, dekorative Holzschnitt zeigt das geliebte Haus beinahe
schmuckhaft unter den Gewächsen des Gar-
tens versteckt, wobei Münter als Vorlage für
die Arbeit offenbar eine Photographie diente
(s. auch Kat. 77).

48.1 GMS 905
Vermutlich Holzschnitt auf Maschinen-
bütten, Blattgröße: ca. 10,9 x 7,1 cm
Druck: schwarz

Zwei Entwürfe vorhanden.

48.2 Entwurf: Kon. 40/127, Tusche und
Bleistift, 9,2 x 7,5 cm
48.3 Entwurf: Kon. 40/127, Tusche auf
Pergament, 10,9 x 7,2 cm

Literatur
Als Rückseite (in grün) auf einem Katalogfaltblatt für die G. Münter-Kollektiv-Aus-
stellung des Neuen Kunstsalon Max Dietzel,
München 1913.

Das Münter-Haus in Murnau. Photographie: Gabriele Münter

48.1

49 Schieferhaus 1916

Kaltnadelradierung auf Zink 7,8 x 5,9 cm
U. r. in der Platte monogrammiert
Helms Nr. 49

In der Zeit ihres Aufenthaltes in Stockholm
1916 schuf Münter erstmals auch Radierungen und setzte sich bald in einer durchnumerierten Folge von Kaltnadelradierungen auf
Zink intensiv mit dieser neuen Technik auseinander (s. auch Kat. 50–56). *Schieferhaus*
steht außerhalb ihrer numerierten Folge und
scheint die erste Radierung zu sein, die
Münter wohl im Frühjahr 1916 schuf. Sie
zeigt interessanterweise kein schwedisches
Motiv, sondern geht auf eine Skizzenbuchzeichnung von 1913 zurück, die offenbar
während eines Besuches Gabriele Münters
bei Verwandten im westfälischen Herford,
der Heimatstadt ihres Vaters, entstanden war.

49.1 GMS 910
Kaltnadelradierung auf festem
Büttenpapier, Blattgröße: 27,8 x 19 cm
Bez. unten eigenhändig in Blei:
»Probedruck.«

Ein Entwurf in einem (1913 datierbaren)
Skizzenbuch vorhanden.

49.2 Skizzenbuch: Kon. 46/42, S. 37,
seitenverkehrte Skizze

49.1

50 Stilleben 1916

Radierung Nr. 1
Auflage: 10 Exemplare
Kaltnadelradierung auf Zink, Platte tonig gewischt, 6,2 x 8,1 cm
U.r. in der Platte monogrammiert
Helms Nr. 50

Das *Stilleben* mit einem Holzpferd, kleinen Vasen und einem Kaminhund auf einer Art Wandbord eröffnet als »Radierung Nr. 1« die von Münter auf jedem Exemplar ihrer schwedischen Druckgraphiken sorgfältig gekennzeichnete und durchnumerierte Serie von sieben Radierungen (s. auch Kat. 51 – 56). Auch hier greift sie auf ein Gemälde zurück, das, wie andere Stilleben dieser Zeit, in ihrem Pensionszimmer am Stureplan in der Stockholmer Innenstadt entstanden ist. Häufig ist auf diesen Blättern der englische Kaminhund aus Porzellan zu sehen, der sich bis zu Münters Lebensende in ihrem Besitz befand und für sie offenbar ihre Murnauer Vergangenheit symbolisierte. Die in der ungewohnten Radiertechnik noch etwas zaghaft und gebündelt eingesetzten, brüchigen Linien klären sich in den späteren Radierungen Nr. 4 bis Nr. 6 zu expressiv eingesetzten graphischen Chiffren.

50.1 GMS 911
Kaltnadelradierung auf festem Büttenpapier, Blattgröße: 22,4 x 32,4 cm
Bez. u.l. eigenhändig in Blei: »N° 1.«, u.r.: »Münter«, darunter: »Probedruck. a. bl.«
Probedruck in braun

50.2 GMS 912
Kaltnadelradierung auf festem Büttenpapier, Blattgröße: 22,2 x 32,8 cm
Bez. u.l. eigenhändig in Blei: »N° 1.«, u.r.: »Münter.«, darunter in Blei: »2 v. 10.«
Druck: dunkelbraun

Drei Entwürfe in einem Skizzenbuch, sowie die Zinkplatte vorhanden.

50.3 Skizzenbuch: GMS 1133, S. 97: eine seitenverkehrte Studie; S. 113: eine seitenverkehrte Skizze (Tinte, datiert »13. V.«); S. 115

Ausstellungen
Kopenhagen 1918, Den Frie Kunstudstilling, Nr. 1
München 1920, Galerie Thannhauser

50.1

50.2

51 Kinderwagen 1916

Radierung Nr. 2
Auflage: 10 Exemplare
Kaltnadelradierung auf Zink, Platte tonig gewischt, 8,1 x 9,9 cm
U.l. in der Platte monogrammiert
Helms Nr. 51

Kinderwagen, Nr. 2 der schwedischen Radierfolge, geht auf ein Ölgemälde zurück, das Münter auch *Kinder im Sportwagen* nannte. In der Zeit ihres schwedischen und später dänischen Exils, in der Münter weitgehend allein auf sich gestellt war, begann sie zunehmend, fremde Menschen ihrer Umgebung zu beobachten und porträtieren. Die feinen und spitzen Linien der Radierung kommen dabei dem gewandelten Stil auch ihrer Zeichen- und Maltechnik in dieser Periode entgegen.

51.1 GMS 913
Kaltnadelradierung auf festem Büttenpapier, Blattgröße: 22,4 x 32,3 cm
Bez. u.l. eigenhändig in Blei: »N°2.«, u.r.: »Münter.«, darunter: »a.l.l.«
Nicht monogrammiert
Probedruck in braun

51.2 GMS 914
Kaltnadelradierung auf festem Büttenpapier, Blattgröße: 22,5 x 32,2 cm
Bez. u.l. eigenhändig in Blei: »N°2«, u.r.: »Münter.«, darunter: »1 v. 10.«
Druck: braun

Ein Entwurf, drei Skizzen in einem Skizzenbuch, sowie die Zinkplatte vorhanden.

51.3 Entwurf: Kon. 40/128, Tusche und Bleistift, 10 x 13 cm
51.4 Skizzenbuch: GMS 1133, S. 101: eine Skizze zum Hintergrund; S. 103, S. 105, S. 111 (alle Skizzen seitenverkehrt)

Ausstellungen
Kopenhagen 1918, Den Frie Kunstudstilling, Nr. 2
München 1920, Galerie Thannhauser

51.1

51.2

52 In Erwartung 1916

Radierung Nr. 3
Auflage: 10 Exemplare
Kaltnadelradierung auf Zink, 8,1 x 6,2 cm
U.r. in der Platte monogrammiert
Helms Nr. 52

In Erwartung, Radierung Nr. 3 der schwedischen Druckgraphik-Folge, zeigt bemerkenswerterweise eine Frau in der altertümlichen Tracht der Belle-Epoque, einer Zeitepoche, die Kandinsky neben biedermeierlichen Szenen nicht nur in seinen frühen Holzschnitten und Temperagemälden teilweise heraufbeschworen hat, sondern auch in seinen schwedischen Radierungen erneut evozierte. Diese, von ihm »Bagatelles« genannten Werke schuf Kandinsky Anfang 1916, als er sich mit Gabriele Münter ein letztes Mal in Stockholm traf.

52.1 GMS 915
Kaltnadelradierung auf festem Büttenpapier, Blattgröße: 32,8 x 22,4 cm
Bez. u.l. eigenhändig in Blei: »N°3.«, u.r.: »Münter«, darunter: »Probedruck.«
Probedruck in braun

52.2 GMS 916
Kaltnadelradierung auf festem Büttenpapier, Blattgröße: 30 x 20 cm
Bez. u.l. eigenhändig in Blei: »N°3.«, u.r.: »Münter.«, darunter: »1 v 10«
Nicht monogrammiert
Druck: schwarz

Ein seitenverkehrter Entwurf in einem Skizzenbuch vorhanden.

52.3 Skizzenbuch: GMS 1132, S. 38: datiert »18. III. 16«

Ausstellungen
Kopenhagen 1918, Den Frie Kunstudstilling, Nr. 3
München 1920, Galerie Thannhauser

52.1 52.2

53 Uhrmacher 1916

Radierung Nr. 4
Auflage: 10 Exemplare
Kaltnadelradierung auf Zink, 7,4 x 9,9 cm
U.l. in der Platte monogrammiert
Helms Nr. 53

Die schwedische »Radierung Nr. 4«, *Uhrma-cher,* hat man – ebenso wie *Erwartung* (Kat. 52), *Suchende* (Kat. 55) und zahlreiche andere Bilder Gabriele Münters aus ihrer skandinavischen Zeit – als ein verschlüsseltes Sinnbild ihrer privaten Situation und Lebensstimmung interpretiert. In der Tat wurden das Warten auf Kandinsky, den sie nach dem März 1916 nicht mehr wiedersehen sollte, die verinnende Zeit und das Alleinsein beherrschende Motive ihrer persönlichen Ikonographie. Zu *Uhrmacher* gibt es ein sehr ähnliches, relativ großformatiges Ölgemälde, auf dem die Kundin ebenso isoliert vor dem Betrachter steht, umgeben von Uhren und der Plastik dreier springende Pferde vor dunkelrotem Hintergrund, die mit ihren fliegenden Linien an ein Motiv Kandinskys aus der Zeit des ›Blauen Reiter‹ erinnern.

53.1 GMS 917
Kaltnadelradierung auf festem
Büttenpapier, Blattgröße: 22,3 x 33 cm
Bez. u.l. eigenhändig in Blei: »N°4.«,
u.r.: »Münter.«, darunter: »3 v. 10.«
Druck: schwarz

Drei Entwürfe in einem Skizzenbuch und die
Zinkplatte vorhanden.

53.2 Skizzenbuch: GMS 1133, S. 123
(datiert »16.V.16«), S. 125, S. 127
(alle Skizzen seitenverkehrt)

Ausstellungen
Kopenhagen 1918, Den Frie Kunst-
udstilling, Nr. 4
München 1920, Galerie Thannhauser
Braunschweig 1926, Gesellschaft der
Freunde junger Kunst

53.1

54 Bei der Schleuse Stockholm 1916

Radierung Nr. 5
Auflage: 10 Exemplare
Kaltnadelradierung auf Zink, 7,4 x 9,9 cm
U.r. in der Platte monogrammiert
Helms Nr. 54

Bei der Schleuse Stockholm zeigt als Nr. 5 der schwedischen Radierungen einen souveränen Umgang mit der spröden Technik der Kaltnadelradierung, den Münter bereits mit *Uhrmacher* (Kat. 53) erreicht hatte. Der lebhafte Verkehrsknotenpunkt der Schleuse, die die Stockholmer Altstadt mit Södermalm verbindet, regte auch andere Künstler, etwa die schwedische Malerin Sigrid Hjertén, zu Bildern an. Die ungewöhnliche Aufsicht auf das Motiv, die Münter in ihrer Radierung wählt, dürfte durch Werke der Künstlerfreundin Hjertén inspiriert worden sein, die Münter mehrfach in deren Atelier in der Nähe der Schleuse besuchte.

Von der originalen Radierplatte *Bei der Schleuse Stockholm* im Besitz der Gabriele Münter- und Johannes Eichner-Stiftung wurden 1994 in einer einmaligen Auflage 30 Handabzüge auf Zerkall-Bütten, 350g/qm, hergestellt, als Neuauflage gekennzeichnet und numeriert.

54.1 GMS 918
Kaltnadelradierung auf festem Büttenpapier, Blattgröße: 19,9 x 29,8 cm
Bez. u.l. eigenhändig in Blei: »N°5«, u.r.: »Münter«, in der unteren linken Ecke: »2 v. 10.« Bez. rückseitig u.r. in Blei: »100 M«
Druck: schwarz

54.2 GMS 919
Kaltnadelradierung auf festem Büttenpapier, Blattgröße: 19,9 x 29,8 cm
Bez. u.l. eigenhändig in Blei: »N°5.«, u.r.: »Münter«, darunter, l.: »5 v 10.«
Bez. rückseitig eigenhändig in Blei: »netto 100 M.«, darunter: »35 Kr.« (durchgestrichen)
Druck: schwarz tonig gewischt, weiß gehöht

Ein Entwurf in einem Skizzenbuch und die Zinkplatte vorhanden.

54.3 Skizzenbuch: GMS 1133, S.79, datiert »19. IV.«

Ausstellungen
Kopenhagen 1918, Den Frie Kunstudstilling, Nr. 5
München 1920, Galerie Thannhauser

54.1

54.2

55 Suchende 1916

Radierung Nr. 6
Farbige Kaltnadelradierung auf Zink, 16 x 6,1 cm
U.l. in der Platte monogrammiert
Helms Nr. 55

Das Motiv der *Suchenden,* »Radierung Nr. 6«
der schwedischen Periode, hat Münter – der
Vielzahl der verschiedenen Drucke, Farbzustände und Entwürfe nach zu urteilen – stark
beschäftigt. Überdies ist es neben dem *Plakat
für die Gabriele Münter-Ausstellung Kopenhagen*
(Kat. 57) die letzte farbige Druckgraphik im
Werk der Künstlerin überhaupt, sieht man
von der grünlich eingefärbten Platte der
Radierungen *Gras* und *Zwei Bäume* von 1924
ab (Kat. 70, 71). Im sehr steilem Hochformat
der Radierung erscheint die weibliche Figur
in blauer Weste wie eingesperrt, sie scheint
zu stehen oder auch auf einem Bett zu liegen, den Arm wie suchend oder auch ab-
wehrend über das Gesicht erhoben. *Suchende*
stellte Münter, wie auch alle anderen Radierungen dieser Folge, auf ihrer großen Einzelausstellung 1918 in Kopenhagen aus (s. Kat.
57, 58), wo diese Radierung unter dem Titel
»Ensom (Einsam)« geführt ist.

55.1 GMS 920
Kaltnadelradierung auf Zink,
auf festem Büttenpapier,
Blattgröße: 38,8 x 29,1 cm
Bez. u.l. eigenhändig in Blei: »N°6.«,
darunter: »1.«, u.r.: »Münter.«
Bez. rückseitig eigenhändig in Blei:
»bv. 45 Kr.«
Druck: schwarz   *nicht abgebildet*

55.2 GMS 921
Kaltnadelradierung auf festem
Büttenpapier, Blattgröße: 38,4 x 29,7 cm
Bez. u.l. eigenhändig in Blei: »N°6.«,
u.r.: »Münter«, darunter: »unverkäuf-
lich. (Suchende)«. Bez. rückseitig eigen-
händig in Blei: »100 M.«
Druck: schwarz, tonig gewischt

55.3 GMS 922
Farbige Kaltnadelradierung auf festem
Büttenpapier, Blattgröße: 29,9 x 19,7 cm
Druck: braun, grün, rot, gelb, blau,
weinrot, deckweiß; z.T. handkoloriert

55.4 GMS 923
Farbige Kaltnadelradierung auf festem
Büttenpapier, Blattgröße: 29,8 x 19,6 cm
Bez. u.l. eigenhändig in Blei: »N°6«,
u.r.: »Münter«
Bez. rückseitig u.l. eigenhändig in Blei:
»70 Kr.«
Druck: schwarz, blau, grün, gelb, rot,
hellbraun

55.5 GMS 924
Farbige Kaltnadelradierung auf festem
Büttenpapier, Blattgröße: 33 x 22,4 cm
Bez. u.l. eigenhändig in Blei: »N°6«,
u.r.: »Münter.«
Bez. rückseitig eigenhändig in Blei:
»netto circa 150 M.«
Druck: braun, blau, grün, gelb, rot,
hellbraun

55.6 GMS 925
Farbige Kaltnadelradierung auf festem
Büttenpapier, Blattgröße: 26 x 16,2 cm
Bez. u.l. eigenhändig in Blei: »N°6«,
u.r.: »Münter«
Druck: schwarz, blau, braun, gelb, grün

Außer den sechs im Lenbachhaus vorhandenen Exemplaren sind sechs weitere Exemplare in verschiedenen Farbstellungen bekannt.
Drei Entwürfe und die Zinkplatte vorhanden.

55.7 Entwurf: GMS 1094, Aquarell und Blei-
    stift auf Pergamentpapier, 16,5 x 6,7 cm.
55.8 Entwurf: Kon. 40/14, Aquarell und
    Tusche, 19 x 15,6 cm
55.9 Kon. 40/129, Bleistift. Bez. o.l. eigen-
    händig in Blei: »19.III«

Ausstellungen
Kopenhagen 1918, Den Frie Kunstudstilling,
    Nr. 6
München 1920, Galerie Thannhauser
Braunschweig 1926, Gesellschaft der
    Freunde junger Kunst

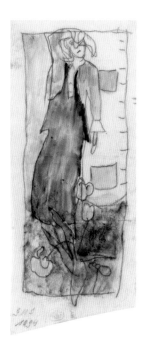

55.7

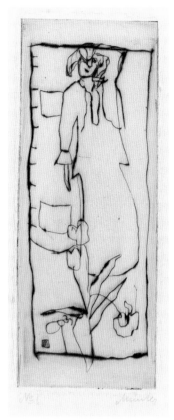

55.2

55.3

55.4

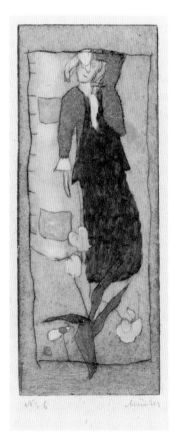

55.5

55.6

56 Mutter und Sohn 1916

Radierung Nr. 7
Auflage: 10 Exemplare
Kaltnadelradierung auf Zink, Bildgröße: 10,3 x 3,7 cm, Plattengröße: 14,3 x 7,4 cm
U.r. in der Platte monogrammiert
Helms Nr. 56

Die Radierung *Mutter und Sohn*, die in ähnlich steilem Hochformat wie *Suchende* das liebevolle Beieinandersein von Mutter und Kind zeigt, schließt die schwedische Radierfolge als Nr. 7 ab. Vermutlich hat Münter auch ein Hinterglasbild mit diesem Motiv ausgeführt.

56.1 GMS 926
Kaltnadelradierung auf festem Büttenpapier, Blattgröße: 23,7 x 18,2 cm
Bez. u.l. eigenhändig in Blei: »7.«, u.r.: »G. Münter.«, darunter: »3 v 10.«, »Mutter und Sohn. unverkäuflich.«
Bez. rückseitig eigenhändig in Blei: »G. Münter Kandinsky. »Mutter und Sohn« Radierung«
Druck: schwarz

56.2 GMS 927
Kaltnadelradierung, tonig gewischt, auf festem Büttenpapier, Blattgröße: 20,2 x 12,3 cm
Bez. u.l. eigenhändig in Blei: »7.«, u.r.: »G. Münter.«, darunter: »6 v. 10.«
Druck: schwarz

Mehrere Entwürfe in zwei Skizzenbüchern vorhanden.

56.3 Skizzenbuch: GMS 1134, S. 74, S. 75: datiert »28. XII.«, S. 77
56.4 Skizzenbuch: Kon. 46/47, S. 37, datiert »15. IX«; S. 39; S. 43: datiert »16. IX«

Ausstellungen
Kopenhagen 1918, Den Frie Kunstudstilling, Nr. 7
München 1920, Galerie Thannhauser

56.1

56.2

57 Plakat für die Gabriele Münter-Ausstellung Kopenhagen 1918

Farblithographie 87 x 62 cm
Text im Stein: Den Frie Udstilling / Gabriele Münter.
Oljemalninger / Glastavler / Grafik / Fri Adgang.
Druck: Chr. Cato, Kopenhagen
Helms Nr. 57

Im Winter 1917 war Münter von Stockholm in die dänische Hauptstadt Kopenhagen umgezogen. Hier erhielt sie im März 1918 ihre bisher größte Einzelausstellung und zeigte 100 Gemälde, 20 Hinterglasbilder sowie ihre in Schweden entstandenen Radierungen. Für das Plakat verwendete sie erstmals die Technik der Lithographie und schuf zwei verschiedene Farbvarianten, in denen Gelb und Schwarz vorherrschen. Diese Farbkombination verstärkt möglicherweise den Eindruck von Melancholie, der über der Szene mit der gleichsam wartend im Vordergrund sitzenden Frau und der schwarzen eleganten Figur des Geigers liegt. Elemente des Hintergrundes, wie der Keramikhund (s. auch Kat. 50), das Meer, aber auch spitze Berge am jenseitigen Ufer wirken wie Reminiszenzen an die Murnauer und schwedische Zeit.

57.1 GMS 928
Lithographie auf Maschinenpapier, 87 x 62 cm
Bez. im Stein u.r.:
»Siste dag den 11 mars.«
Druck: schwarz   *nicht abgebildet*

57.2 GMS 929
Farblithographie auf Maschinenpapier, 87 x 62 cm
Druck: schwarz u. gelb
Text wie GMS 928

57.3 GMS 930
Farblithographie auf Maschinenpapier, 87 x 62 cm
Bez. u.l.: Chr. Cato.
Druck: schwarz, gelb, grün.
Text wie GMS 928 u. 929 ohne den Eindruck: »Siste dag den 11. mars«

Ein Entwurf vorhanden.

57.4 Entwurf: GMS 1096, Schwarze Feder, Aquarell und Bleistift, 21 x 13,2 cm, Text: »Frie Udstilling 1908–1918 Gabriele Münter 28 II–13 III Fri Adgang«

57.4

57.2

Chr. Cato.

57.3

Titelseite eines vierseitigen Faltblatts,
auf der Innenseite Katalogtext
Lithographie 18,1 x 11,5 cm
U.l. im Stein monogrammiert
Helms Nr. 58

58.1 GMS 931
Lithographie auf Maschinenbütten,
Blattgröße: 21,2 x 14 cm
Bez. u.l. eigenhändig in Blei: »Original
Lithografie«, u.r.: »Münter.«
Druck: braun
Faltblatt, Innenseite Katalogtext
(nur Deckblatt)
58.2 GMS 932
Lithographie auf Maschinenbütten,
Blattgröße: 22,7 x 14,9 cm
Druck: schwarz
Faltblatt, Innenseite Katalogtext

Zwei Entwürfe sowie Studien in zwei
Skizzenbüchern vorhanden.

58.3 Entwurf: GMS 1098, Schwarze Tusche
und schwarze Kreide, 17,8 x 12,3 cm,
Text: »Den Frie Udstillingen. Gabriele
Münter 28 III – 11 III 1918.«
58.4 Entwurf: Kon. 40/46, Kohle,
18,7 x 13,3 cm
58.5 Skizzenbuch Kon. 46/48, S. 109
58.6 Skizzenbuch GMS 1134, S. 73

58.3

58.2 (innen)

58.1

58.2

59 Skandinavisches Landmädchen 1918

Lithographie 14,9 x 9,8 cm
U.r. im Stein monogrammiert
Einzeldrucke nicht bekannt.
Original-Lithographie in ›Klingen‹ 1. Jahrg., Nr. 6 Kopenhagen 1918.
Helms Nr. 59

Das Bild des *Schwedischen Landmädchens*
erschien als Original-Lithographie in der
dänischen Künstler-Zeitschrift ›Klingen‹,
Einzeldrucke sind davon nicht bekannt.

59.1 GMS 933
Lithographie auf Zeitschriftenpapier,
Blattgröße: 26 x 19,5 cm
Druck: schwarz

59.1

60 Mädchen mit Zöpfen 1921

Titel nicht original
Lithographie, Bildgröße: 44 x 29,8 cm
U.r. im Stein monogrammiert und datiert 1921
Helms Nr. 60

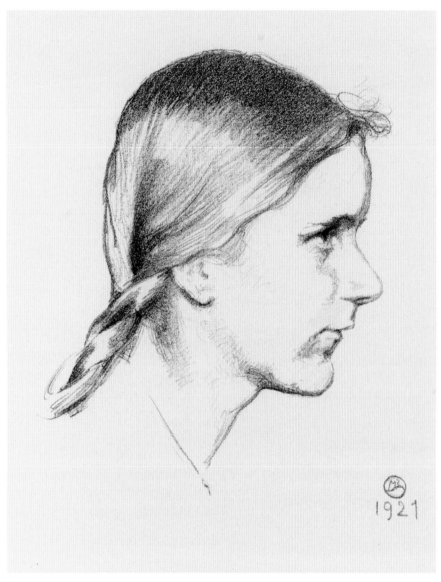

60.1

Anfang 1920 kehrte Münter nach langen Jahren des skandinavischen Exils über Berlin nach München und Murnau zurück und mußte sich hier persönlich wie künstlerisch in einer geänderten Zeitsituation völlig neu orientieren. Im Winter 1920/21 wohnte sie überwiegend in einem Pensionszimmer in München und belegte wie in ihrer Anfangszeit Kurse in Porträt- und Aktzeichnung. Die ungewöhnlich konventionell wirkende große Steinzeichnung *Mädchen mit Zöpfen*, 1921 datiert, ist vermutlich in diesem Zusammenhang entstanden.

60.1 GMS 934
    Lithographie auf Bütten,
    Blattgröße: 58 x 38,5 cm
    Druck: schwarz

Bildnis der Sängerin Jungkurth um 1922/23

Lithographie 27 x 14,1 cm
U.M. im Stein monogrammiert
Helms Nr. 61

Das *Bildnis der Sängerin Jungkurth* steht am
Anfang einer Serie von Lithographien, die
Münter bis 1924 nach Motiven aus Elmau
schuf. Besonders in den Jahren 1923 und
1924 hielt sich Münter für viele Wochen in
dem heute noch existierenden, theosophisch
ausgerichteten Hotel-Sanatorium der Elmau
bei Garmisch auf, wo sie damit begann, zahlreiche Menschen ihrer Umgebung in knappen Bleistiftzeichnungen zu porträtieren, die
für ihr Schaffen der zwanziger Jahre insgesamt charakteristisch werden. Nicht zufällig
wählte sie nun für ihre Druckgraphiken häufig das Medium der Lithographie, das eine
möglichst direkte Umsetzung der zeichnerischen Vorlage erlaubte. Im vorliegenden Fall
übertrug sie das Bleistift-Porträt der Stuttgar-
ter Opernsängerin, gezeichnet »in der Elmau
1922 oder später« unmittelbar in den Steindruck.

61.1 GMS 935
       Lithographie auf Velin,
       Blattgröße: 37,5 x 26,3 cm
       Druck: dunkelgrau
       Bez. rückseitig eigenhändig in Blei:
       »Lithographie. Frl. Jungkurth. Opern.
       Sängerin, Stuttgart, gez. in der Elmau.
       1922 oder später.«

Zwei weitere Exemplare bekannt.
Ein Entwurf vorhanden.

61.2 Entwurf: Kon. 40/16, Kohle auf
       Pergamentpapier, ca. 32,2 x 24,9 cm,
       U.M. monogrammiert

61.1

62 Baum und Wolke um 1923

Steindruck Nr. 2
Lithographie 13,5 x 8 cm
U.l. im Stein monogrammiert
Helms Nr. 62

Während ihrer Aufenthalte in der Elmau
schuf Münter auch zahlreiche Zeichnungen
und Aquarelle der umgebenden Landschaft
oder von Landschaftselementen wie *Baum
und Wolke*. Ein ähnliches Motiv, *Zwei Bäume*
(Kat. 71), diente Münter 1924 als Vorlage für
eine Radierung. Auch im vorliegenden Fall
übertrug Münter das Motiv unmittelbar von
einer kleinen Werkzeichnung für den Steindruck. Sie bezeichnete ihn als »Steindruck
Nr. 2« und eröffnete damit – ähnlich wie
schon bei der schwedischen Radierfolge –
eine allerdings nicht ganz konsequent durchnumerierte Serie von insgesamt neun Steindrucken der zwanziger Jahre.

62.1 GMS 936
Lithographie auf Velin,
Blattgröße: 23,3 x 18,6 cm
Bez. u.l. eigenhändig in Blei:
»G. Münter.«, u.r.: »Orig. Steindruck. 2.«
Druck: dunkelgrau

Zwölf weitere Exemplare bekannt.
Ein Entwurf vorhanden.

62.2 Entwurf: GMS 1087, Bleistift auf Pergament, 13,9 x 8,5 cm. Skizzenbuchseite,
auf Karton aufgeklebt, u.l. monogrammiert, datiert.: »4.III.«

Ausstellungen
Braunschweig 1926, Gesellschaft der
    Freunde junger Kunst
München 1962, Städtische Galerie, Nr. 148

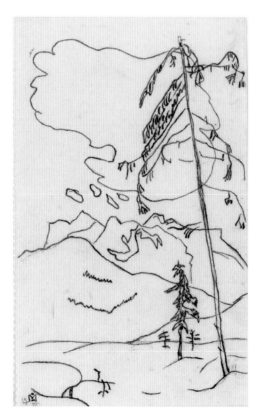

62.2

62.1

63 Bei Manns in der Elmau 1924

Steindruck Nr. 3
Lithographie 18,5 x 24 cm
U.l. im Stein monogrammiert, beschriftet und datiert: Elmau 1924
Helms Nr. 63

Der »Steindruck Nr. 3«, *Bei Manns in der Elmau*, stellt wie andere Lithographien dieser Zeit (s. auch Kat. 61, 64, 65) Menschen dar, die Münter während ihrer Aufenthalte in der Elmau kennenlernte. Das vorliegende Exemplar trägt auf der Rückseite eine Aufschrift von Münters Hand, die die dargestellten Personen genauer bezeichnet.

63.1 GMS 937
Lithographie auf Velin,
Blattgröße: 31,5 x 31,5 cm
Bez. u.l. eigenhändig in Blei: »G. Münter.«, u.r.: »originalsteindruck. 3.«, darüber: »Bei Manns in der Elmau.«
Bez. rückseitig eigenhändig in Blei: »Herr Mann, Frau Mann, Frau von Rheinbaben, Frau Fröhlich von hinten«
Druck: dunkelgrau

Zehn weitere Exemplare bekannt.

Ausstellungen
Braunschweig 1926, Gesellschaft der
    Freunde junger Kunst

63.1

64 Porträt Dr. E. Camnitzer 1924

Lithographie, Bildgröße: 37,5 x 31,5 cm
U.l. im Stein monogrammiert und datiert: 25 IV 24
Helms Nr. 64

64.1

Das *Porträt Dr. E. Camnitzer*, ist, obwohl nicht eigens numeriert, vermutlich als »Steindruck Nr. 4« zu betrachten und zeigt einen aus Starnberg stammenden Bekannten Münters in der Elmau (s. auch Kat. 61, 63, 65).

64.1 GMS 938
Lithographie auf Velin,
Blattgröße: 50,3 x 37,9 cm
Druck: schwarz

Vier weitere Exemplare bekannt.
Zwei Entwürfe in einem Skizzenbuch vorhanden.

64.2 Skizzenbuch: Kon. 38/16, S. 25,
S. 27 (Kohlezeichnung)

65 Herrenbildnis um 1924

Steindruck Nr. 5
Lithographie 29,5 x 24,5 cm
U. l. im Stein monogrammiert
Helms Nr. 65

65.1 GMS 939
   Lithographie auf Velin,
   Blattgröße: 37,5 x 31,2 cm
   Bez. u. l. eigenhändig in Blei:
   »G. Münter.«, u. r.: »Original
   Steindruck.«
   Druck: dunkelgrau

Vier weitere Exemplare bekannt.

65.1

66 Ilse um 1924

Steindruck Nr. 6
Lithographie 9 x 9 cm
U.l. im Stein monogrammiert
Helms Nr. 66

66.1

Im Falle des Steindrucks Nr. 6, *Ilse*, beschränkt sich Münter ganz auf die weiche Profillinie des jungen Mädchens. In einer ihrer verstreuten Aufzeichnungen findet sich eine Notiz vom Januar 1923: »Ilse 11 Jahr (gezeichnet).« Der Numerierungs-Folge ihrer Lithographien entsprechend, wird sie die Druckgraphik nach der verloren gegangenen Zeichnung erst 1924 ausgeführt haben.

66.1 GMS 940
    Lithographie auf Velin,
    Blattgröße: 24,3 x 18,7 cm
    Bez. u.l. eigenhändig in Blei:
    »G. Münter.«, u.r.: »Orig. Steindruck. 6.«
    Druck: schwarz

Zwölf weitere Exemplare bekannt.

Ausstellungen
Braunschweig 1926, Gesellschaft
    der Freunde junger Kunst

67 Gestützte um 1924

Steindruck Nr. 7
Lithographie 17,5 x 12 cm
U. r. im Stein monogrammiert
Helms Nr. 67

Die Lithographie *Gestützte*, von Münter als
»Steindruck Nr. 7« geführt, ist ganz im Stil
der prägnanten Bleistiftzeichnungen gehalten, mit denen die Künstlerin besonders während ihres Berliner Aufenthaltes 1925 bis
1929 die Menschen ihrer Umgebung festhielt. Ihre meist weiblichen Modelle charak-
terisierte sie dabei häufig mit einer einzigen
durchgezogenen Umrißlinie, die geradezu
zu einem »Markenzeichen« für Münters
Kunst jener Jahre wurde. Diese ebenso virtu-
ose wie klare Zeichnung weist auch der
Steindruck *Gestützte* auf, der bereits um 1924
zu datieren ist, da Münter auf ihrer Ausstellung in der ›Gesellschaft der Freunde junger
Kunst‹ in Braunschweig nur Werke zeigte,
die bis 1924 entstanden waren.

67.1 GMS 941
      Lithographie auf Velin,
      Blattgröße: 24 x 18,7 cm
      Bez. u. l. eigenhändig in Blei:
      »G. Münter.«, u. r.: »Orig Steindruck«
      Druck: schwarz

Neun weitere Exemplare bekannt.
Ein Entwurf vorhanden.

67.2 Entwurf: Kon. 40/15, Tusche,
      23,9 x 19,6 cm, u. r. und u. l. mono-
      grammiert

Ausstellungen
Braunschweig 1926, Gesellschaft
      der Freunde junger Kunst

67.1

68 Mutter und Kind um 1924

Steindruck Nr. 8
Lithographie 13 x 9 cm
U.r. im Stein monogrammiert
Helms Nr. 68

Auf der mit dem Druck nahezu identischen Entwurfszeichnung in Tuschfeder von *Mutter und Kind* findet sich rückseitig die eigenhändige Bemerkung Münters: »Umdruckzeichnung Original«. Sie belegt eindeutig, daß Münter beim Anfertigen ihrer Lithographien nicht direkt auf den Stein zeichnete, sondern den leichteren Weg der Umdruckzeichnung auf sogenanntes »Umdruckpapier« wählte. Die Zeichnung auf dem mit einer speziellen Fettschicht präparierten Papier wurde dann seitenverkehrt auf den Stein abgezogen, der anschließende Druck vom Stein erfolgte dann wieder seitenrichtig wie die Originalzeichnug. Das Thema *Mutter und Kind* hat Münter auch in zwei unterschiedlich gestalteten Radierungen verarbeitet (Kat. 56, 72).

68.1 GMS 942
Lithographie auf Bütten,
Blattgröße: ca. 23 x 18,7 cm
Bez. u.l. eigenhändig in Blei: »G. Münter.«, u.r.: »Orig. Steindruck.«
Druck: schwarz

68.2 GMS 943
Lithographie auf Velin,
Blattgröße: 23,6 x 18,6 cm
Bez. u.l. eigenhändig in Blei: »G. Münter.«, u.r.: »Orig. Steindruck 8.«
Druck: schwarz   *nicht abgebildet*

Außer den zwei im Lenbachhaus vorhandenen Exemplaren sind neun weitere Exemplare bekannt.
Ein Entwurf vorhanden.

68.3 Entwurf: GMS 1095, Schwarze Feder, 12,7 x 9,1 cm, u.r. monogrammiert. Bez. rückseitig unten eigenhändig in Blei: »Umdruckzeichnung Original«

Ausstellungen
Braunschweig 1926, Gesellschaft der Freunde junger Kunst

68.3

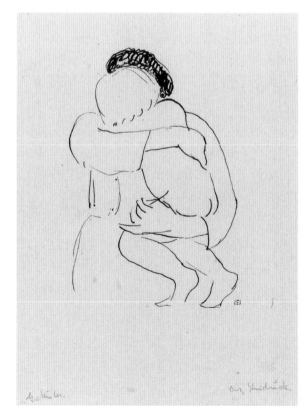

68.1

182

69 Weibliches Bildnis, um 1924

Steindruck Nr. 9
Titel nicht original
Lithographie 32,5 x 25 cm
Helms Nr. 69

69.1 GMS 944
Lithographie auf Velin,
Blattgröße: 50,3 x 37,9 cm
Bez. u. l. eigenhändig in Blei:
»G. Münter.«, u. r.: »Orig. Steindruck 9.«
Druck: schwarz

Ein weiteres Exemplar bekannt.
Ein Entwurf in einem Skizzenbuch
vorhanden

69.2 Skizzenbuch: Kon. 38/16, S. 15
(Kohlezeichnung)

69.1

70 Gras um 1924

Radierung Nr. 8
Kaltnadelradierung auf Zink 14,1 x 10,2 cm
U.l. in der Platte monogrammiert und numeriert 8
Helms Nr. 70

Mit *Gras* greift Münter erstmals seit der schwedischen Zeit wieder auf die Radiertechnik zurück und schließt sie in der Bezeichnung »Radierung Nr. 8« interessanterweise unmittelbar an die Folge der 1916/17 entstandenen Kaltnadelradierungen an. Als Bildgegenstand der dunkelgrün eingefärbten Platte wählt sie einen nahsichtigen Wiesenausschnitt, ein Motiv, das ihr auch in den wenigen Gemälden der zwanziger Jahre half, wieder zur Komposition eines Stillebens zurückzufinden.

70.1 GMS 945
Kaltnadelradierung auf Bütten,
Blattgröße: 25 x 20 cm
Bez. u.l. eigenhändig in Blei: »G. Münter.«, u.r.: »Orig. Radierung (Gras.)«, u.M.: »einmal verkäuflich.«
Druck: dunkelgrün

Fünf weitere Exemplare bekannt.
Ein seitenverkehrter Entwurf in einem Skizzenbuch und die Zinkplatte vorhanden.

70.2 Skizzenbuch: Kon. 46/57, S. 5

Ausstellungen
Braunschweig 1926, Gesellschaft der
        Freunde junger Kunst

70.1

71 Zwei Bäume um 1924

Radierung Nr. 9
Kaltnadelradierung auf Zink, Plattengröße: 14,1 x 10,2 cm
U. l. in der Platte monogrammiert und numeriert 9
Helms Nr. 71

Zwei Bäume geht auf eine sehr ähnliche Blei-stiftzeichnung aus Elmau zurück, die auf den 5. März 1924 datiert ist. Das Motiv der tief verschneiten Tannen in der Umgebung von Elmau bei Garmisch, etwa am Ferchenbach oder auf dem Weg zur Alpspitze, hat Münter immer wieder gereizt. Sie hielt es in dem bekannten, weiß-blauen Aquarell *Baumschatten am Hügel* und noch 1943 in ihrem Ölbild *Schneelast* sowie auch photographisch fest. *Zwei Bäume* bezeichnete sie als »Radierung Nr. 9« ihrer fortgesetzten Folge von insgesamt elf durchnumerierten Radierungen (s. auch Kat. 73).
Von der originalen Radierplatte *Zwei Bäume* im Besitz der Gabriele Münter- und Johannes Eichner-Stiftung wurden 1994 in einer einmaligen Auflage 30 Handabzüge auf Zer-kall-Bütten, 350 g/qm, hergestellt, als Neu-auflage gekennzeichnet und numeriert.

71.1 GMS 946
Kaltnadelradierung auf Bütten,
Blattgröße: 16,2 x 12,6 cm
Bez. u. r. eigenhändig in Blei:
»Probedruck«
Nicht monogrammiert
Probedruck: schwarz

71.2 GMS 947
Kaltnadelradierung tonig gewischt, auf Bütten, Blattgröße: 25 x 16 cm
Bez. u. l. eigenhändig in Blei:
»G. Münter.«, u. r.: »Orig. Radierung.«,
u. M.: »Probedruck.«
Druck: dunkelgrün

Außer den zwei im Lenbachhaus vorhande-nen Exemplaren sind vier weitere Exemplare in verschiedenen Farbstellungen bekannt. Ein Entwurf, eine Skizzenbuchzeichnung, eine seitenverkehrte Werkzeichnung, sowie die Zinkplatte vorhanden.

71.3 Entwurf: GMS 1080, Bleistift, 24 x 19,7 cm, u. r. monogrammiert, datiert »5. III. 1924.« Auf Papier aufge-klebt. Rückseitig bez. eigenhändig in Blei: »G. Münter, Zwei Tannen, 1924.«

71.4 Skizzenbuch: GMS 1125, Bleistift auf beschnittenem Skizzenbuchblatt, 14,7 x 10,5 cm, teilweise durchgepaust.

Ausstellungen
Braunschweig 1926, Gesellschaft der Freunde junger Kunst

71.3

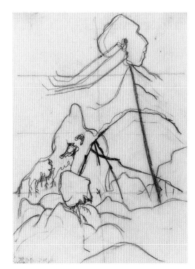

71.4

Tannen im Schnee, Kochel 1909. Photographie: Gabriele Münter

71.1

71.2

72 Mutter und Kind um 1924

Radierung Nr. 10
Kaltnadelradierung auf Zink 15,8 x 9,7 cm
U.r. in der Platte monogrammiert und numeriert 10
Helms Nr. 72

72.2

Von der originalen Radierplatte *Mutter und Kind* im Besitz der Gabriele Münter- und Johannes Eichner-Stiftung wurden 1994 in einer einmaligen Auflage 30 Handabzüge auf Zerkall-Bütten, 350 qm, hergestellt, als Neuauflage gekennzeichnet und numeriert.

72.1 GMS 948
    Kaltnadelradierung auf Bütten,
    Blattgröße: 24,7 x 15,9 cm
    Nicht monogrammiert, nicht numeriert
    Probedruck: schwarz   *nicht abgebildet*
72.2 GMS 949
    Kaltnadelradierung auf Bütten,
    Blattgröße: 27,2 x 18,2 cm
    Bez. u.l. eigenhändig in Blei:
    »G. Münter.«, u.r.: »Orig. Radierung«,
    u.M.: »einmal verkäuflich.«
    Druck: schwarz

Außer den zwei im Lenbachhaus vorhandenen Exemplaren sind fünf weitere Exemplare bekannt.
Drei Entwürfe und die Zinkplatte vorhanden.

72.3 *a–c* Entwürfe: Kon. 40 / 130, a, b, c,
    jeweils Bleistift auf Pergament,
    a) 16,8 x 11,9, b) 16,6 x 11,9,
    c) 16,6 x 10,6 cm

Ausstellungen
Braunschweig 1926, Gesellschaft der
    Freunde junger Kunst

Schlummernde um 1924

Radierung Nr. 11
Kaltnadelradierung auf Zink 10,3 x 6,5 cm
U. r. in der Platte monogrammiert und numeriert 11
Helms Nr. 73

Schlummernde ist als »Radierung Nr. 11« die
letzte numerierte Radierung Münters, ihr
folgten noch zwei weitere radierte Motive,
deren eines jedoch offenbar nur im Probedruck existiert (Kat. 74), während von der
letzten Platte (Kat. 75) zu Münters Lebzeiten
kein Druck erfolgte.

73.1 GMS 950
  Kaltnadelradierung auf Bütten,
  Blattgröße: 27,1 x 18,8 cm
  Bez. u. l. eigenhändig in Blei:
  »G. Münter.«, u. r.: »Orig. Radierung.«
  Bez. rückseitig eigenhändig in Blei: »G.
  Münter-Kandinsky. ›Schlummernde.‹«
  Druck: schwarz

Vier weitere Exemplare bekannt.
Eine Werkzeichnung auf losem Skizzenbuchblatt ohne Konvolut-Nummer und
die Zinkplatte vorhanden.

Ausstellungen
Braunschweig 1926, Gesellschaft der
  Freunde junger Kunst

73.1

74 Straße um 1924

Titel nicht original
Kaltnadelradierung auf Zink 9 x 13 cm
U.r. in der Platte monogrammiert
Helms Nr. 74

Von der Kaltnadelradierung *Straße* existiert
offenbar nur ein Probedruck. Die nervöse
Linienführung der Darstellung ist mit einigen
Ölbildern der Zeit um 1923/24 vergleichbar,
als Münter begann, Ortsansichten Murnaus
wieder in größeren Gemälden darzustellen,
bevor sie Murnau 1925 erneut verließ und
bis Ende des Jahrzehnts überwiegend in
Berlin lebte.

74.1 GMS 951
Kaltnadelradierung auf festem Bütten,
Blattgröße: 18,9 x 27,7 cm
Bez. u.l. eigenhändig in Blei:
»Probedruck«
Probedruck: schwarz

Zinkplatte vorhanden.

Probedruck

74.1

75 Murnau – Gasse um 1931

Kaltnadelradierung auf Zink 9,2 x 13,5 cm
Helms Nr. 75

Von der Radierplatte *Murnau-Gasse*, von
Sabine Helms ebenso wie *Straße* (Kat. 74)
»um 1924« datiert, fertigte Münter zu ihren
Lebzeiten keinen Druck an. Während die
Radierung *Straße* stilistisch ähnlichen Ölbildern der Zeit um 1924 nahesteht, ist die von
Münter radierte Platte zu *Murnau-Gasse*
jedoch erst um 1931 entstanden. Nicht nur
die klaren und kompakten Linien der Zeichnung weisen auf diese Entstehungszeit hin,
sondern auch ein »1931« datierter, sehr
ähnlicher Bleistiftentwurf und ein Ölgemälde
mit dem gleichen Motiv aus demselben Jahr.

75.1. Kein eigenhändiger Druck zu Münters
Lebzeiten von dieser Platte bekannt.
Abzug von der Radierplatte 1967, für
die Abbildung im Werkverzeichnis
Helms Nr. 75 (s.a. Kat. 27, 79).

Ein Entwurf, zwei Skizzenbuchzeichnungen
und die Zinkplatte vorhanden, einmal 1967
für die Abbildung abgezogen.

75.2 Entwurf: Kon. 16/71, Tuschpinsel,
26,5 x 37 cm (ehemals im Besitz der
Münter-Eichner-Stiftung)
75.3 Skizzenbuch: GMS 1126, Bleistift auf
Skizzenbuchblatt, 11,2 x 16,6 cm
75.4 Skizzenbuch: Kon. 37/18, loses Blatt
(rückseitig 1931 datiert)

75.3

75.1

76 Gabriele Münters Haus in Murnau 1931

Titel nicht original
Linolschnitt 9,4 x 12,3 cm
Helms Nr. 77

Durch häufige Publikation gehört der kleine Linolschnitt *Gabriele Münters Haus in Murnau* heute zu den bekanntesten Druckgraphiken im Schaffen der Künstlerin. Er entstand, wie auch das ähnliche, ebenso populäre Ölgemälde 1931, als Münter zusammen mit ihrem zweiten Lebensgefährten Johannes Eichner wieder dauerhaft in Murnau seßhaft wurde. Aus den ausgewogen und geschlossen komponierten Bildern der kleinen Villa an der Kottmüller-Allee (s. auch Kat. 48) in diesem Jahr spricht ein neues Gefühl der Geborgenheit und Freude über ihr Zuhause, das Münter seitdem bis zu ihrem Tod 1962 bewohnte.

Auch den Linolschnitt des »Münter-Hauses« druckte sie im Handdruck auf einer Postkarte.

76.1 GMS 953
   Linolschnitt auf einer Postkarte,
   Blattgröße: 10,6 x 14,9 cm
   Bez. u.l. eigenhändig in Blei:
   »G. Münter«, u.r.: »Handdruck. 1931«
   Druck: schwarz

Fünf weitere Exemplare bekannt. Sieben Entwürfe, eine Skizzenbuchzeichnung, sowie der Linolstock vorhanden.

76.2 Entwurf: Kon. 34/32, Schwarze Tusche,
   Bleistift, 14,9 x 21 cm
76.3 a–e Entwürfe: Kon. 40/133 a–e;
   a) Bleistift, 10,5 x 14,9 cm
   b) Tusche und Bleistift, 10,5 x 14,7 cm
   c) Tusche, 9,3 x 12,3 cm
   d) Tusche und Bleistift, 11 x 17,6 cm
   e) Tusche, 10,8 x 17,1 cm
76.4 Skizzenbuch: Kon. 37/18, loses Blatt

76.2

Gabriele Münter, *Das Münter-Haus in Murnau*, 1931, Öl auf Leinwand,
Städtische Galerie im Lenbachhaus, München

76.1

77 Waldweg 1931

Titel nicht original
Holzschnitt 11 x 7,5 cm
U.r. im Stock monogrammiert
Helms Nr. 76

77.1

Waldweg von 1931 steht am Beginn einer
Serie kleinformatiger Arbeiten, mit denen
Münter ihr druckgraphisches Schaffen 1935
abschloß. Diese Holzschnitte der dreißiger
Jahre von oft vignettenhaftem Format zeich-
nen sich durch starke, flächenhafte Schwarz-
Weiß-Kontraste aus. Münter fertigte den
Holzschnitt für den Druck auf einer Post-
karte an (s. auch Kat. 76, 80).

77.1 GMS 952
   Holzschnitt auf einer Postkarte,
   Blattgröße: 14,7 x 10,4 cm
   Bez. u.l. eigenhändig in Blei:
   »G. Münter«, u.r: »1931«
   Druck: schwarz

Ein weiteres Exemplar bekannt.
Acht Entwürfe und der Holzstock vorhanden.

77.2 *a–h* Entwürfe: Kon. 40/131 a–h;
   a) Tusche, 14,9 x 11,6 cm
   b) Tusche, 14,7 x 11,1 cm
   c) Tusche, 14,9 x 11,5 cm
   d) Tusche und Bleistift, 14 x 9,4 cm
   e) Tusche, u.r. monogrammiert,
   14,8 x 12,1 cm
   f) Tusche und Bleistift, 13,2 x 6,6 cm
   g) Tusche und Bleistift, u.r. monogrammiert, 14 x 8,9 cm
   h) 2 Darstellungen auf einem Blatt,
   je u.r. monogrammiert, 14 x 20 cm

78 Schattenstreifen 1931

Titel nicht original
Linolschnitt 9,4 x 7,3 cm
Helms Nr. 78

Schattenstreifen geht mit seiner komplizierten schwarz-weißen Gitterstruktur auf ein farbenprächtiges, ähnlich abstraktes Ölbild von 1931 zurück, das den Weg zur Firstalm darstellt. Deutlich zeigt sich in dieser Graphik das Anliegen der Verdichtung eines Bildmotivs auf seine Formstrukturen, das Münter mit ihren späten Holz- und Linolschnitten verfolgte.

78.1 GMS 954
Linolschnitt auf Maschinenbütten,
Blattgröße: 14,2 x 10 cm
Bez. u.l. eigenhändig in Blei:
»G. Münter.«, u.r.: »1931«
Druck: schwarz

Fünf weitere Exemplare bekannt.
Drei Entwürfe und der Linolstock vorhanden.

78.2 *a–c* Entwürfe: Kon. 40/132 a–c;
a) Deckweiß und Bleistift auf
schwarzem Papier, 12,3 x 9 cm
b) Deckweiß und Bleistift auf
schwarzem Papier, 10,7 x 6,6 cm
c) Tusche 9,4 x 7,5 cm

78.1

79 Abstrahierte Formen um 1931

Titel nicht original
Holzschnitt 6 x 4,5 cm
Helms Nr. 79

79.1. Kein eigenhändiger Druck zu Münters
     Lebzeiten von diesem Stock bekannt.
     Abzug vom Holzstock 1967, für die
     Abbildung im Werkverzeichnis Helms
     Nr. 79 (s. auch Kat. 27, 75).

79.1

80 Stilleben mit Blumen um 1931

Titel nicht original
Linolschnitt 13,6 x 9,3 cm
Helms Nr. 80

80.1 GMS 955
Linolschnitt auf einer Postkarte,
Blattgröße: 15 x 10,6 cm
Druck: schwarz

Vier Entwürfe und der Linolstock vorhanden.

80.2 *a–d* Entwürfe: Kon. 40/137 a–d;
a) Tusche und Bleistift, 17,6 x 11 cm
b) Tusche 17,6 x 11,9 cm
c) Tusche und Bleistift, 17,6 x 11,3 cm
d) Tusche und Bleistift, rückseitig
gepaust, 18,4 x 13,8 cm

80.1

81 Murnauer Moos I um 1932

Titel nicht original
Linolschnitt 7 x 11,4 cm
Helms Nr. 81

81.1

Den Blick über das Murnauer Moos hat
Gabriele Münter in ihrem Werk immer wieder dargestellt; zahlreiche Gemälde, Aquarelle und Ölzeichnungen zeigen die Ansicht
des weitgedehnten Moorlandes vor der Berg-
kette der Alpen, im Mittelgrund das spitze
Dreieck des Eschenloher Kogels, im Hintergrund den charakteristischen Riegel des
Wettersteingebirges. In den beiden Linolschnitten *Murnauer Moos I* und – vom weiter
zurückgenommenen Standpunkt – *Murnauer
Moos II* (Kat. 82) gestaltet Münter die
wesentlichen Formationen der Landschaft
durch breite dunkle Konturen, ähnlich wie
sie dies bereits in Gemälden und Hinterglasbildern der Zeit des ›Blauen Reiter‹
getan hatte.

81.1 GMS 956
      Linolschnitt auf Seidenpapier,
      Blattgröße: ca. 13,5 x 15,8 cm
      Probedruck: schwarz
81.2 GMS 957
      Linolschnitt auf Bütten,
      Blattgröße: 10,6 x 17,8 cm
      Druck: schwarz   *nicht abgebildet*

Ein Entwurf, eine seitenverkehrte Werkzeichnung, sowie der Linolstock vorhanden.

81.3 Entwurf: Kon. 40 / 134:
      Tusche, 6,8 x 9,7 cm

200

82 Murnauer Moos II um 1932

Titel nicht original
Linolschnitt 7,6 x 10,8 cm
Helms Nr. 82

82.1 GMS 958
Linolschnitt auf Bütten,
Blattgröße: 12,1 x 16,1 cm
Druck: schwarz

Zwei weitere Exemplare bekannt. Drei Entwürfe, eine seitenverkehrte Werkzeichnung,
sowie der Linolstock vorhanden.

82.2 Entwurf: Kon. 40/41, Tusche
und Bleistift, 11,8 x 16,2 cm
82.3 Entwürfe: Kon. 40/135 a–b
a) Tusche, 6,3 x 9 cm
b) Tusche und Deckweiß, 6,8 x 9,6 cm

82.1

83 Straße mit drei Bäumen um 1932

Titel nicht original
Vermutlich Linolschnitt 7,5 x 9,8 cm
Helms Nr. 83

83.1

Die beiden kleinen Drucke *Straße mit drei Bäumen* und *Oberbayerisches Dorf* (Kat. 84) fallen in ihrer spröden Stilistik mit der Betonung geometrischer Grundformen unter den Holz- und Linolschnitten der dreißiger Jahre ebenso auf wie durch ihre Arbeit mit Schwarz als Grundfarbe und Weiß für den Ausschnitt der Formen. Eventuell bezieht sich Münter mit diesen beiden kleinen Werken auf Holzschnitte von Artur Segal, den sie seit der ›Sturm‹-Zeit vor dem Ersten Weltkrieg kannte und dessen Schulatelier sie in Berlin Ende der zwanziger Jahre besucht hatte.

83.1 GMS 959
Vermutlich Linolschnitt auf glattem Papier, Blattgröße: 11,4 x 14 cm
Druck: blau

Zwei Entwürfe und eine Studie in einem Skizzenbuch (1929 datiert) vorhanden.

83.2 *a–b* Entwürfe: Kon. 40/138 a–b
a) Tusche, Deckweiß und Bleistift, 7,9 x 10,1 cm
b) Deckweiß auf schwarzem Papier, 8,2 x 10,5 cm
83.3 Skizzenbuch: Kon. 37/15, loses Blatt

84 Oberbayerisches Dorf um 1932–33

Vermutlich Linolschnitt 9,7 x 14,8 cm
Helms Nr. 84

84.1 GMS 960
Vermutlich Linolschnitt auf Maschinen-
papier, Blattgröße: 15,5 x 21,9 cm
Druck: schwarz

84.1

85 Heuaufladen um 1932–33

Titel nicht original
Linolschnitt, 9 x 12,6 cm
Helms Nr. 85

Für ihren kleinen Linolschnitt *Heuaufladen* fertigte Münter eine Reihe von Entwürfen an, in denen die ursprüngliche Tuschpinselzeichnung, die die Figuren in flüssigen schwarzen Linien auf weißem Grund zeigt, umgearbeitet wird auf eine Weiß-Zeichnung auf dunklem Grund. Zu dem Motiv *Heuaufladen am Riegsee*, in unmittelbarer Nähe des Staffelsees nördlich von Murnau gelegen, gibt es auch ein 1931 datiertes Ölgemälde.

85.1 GMS 961
Linolschnitt, auf Maschinenpapier,
Blattgröße: 10,5 x 15 cm
Druck: schwarz

85.2 GMS 962
Linolschnitt auf Bütten,
Blattgröße: 12 x 16,3 cm
Probedruck: schwarz

Außer den zwei im Lenbachhaus vorhandenen Exemplaren sind zwei weitere bekannt. Fünf Entwürfe und eine Skizzenbuchzeichnung vorhanden.

85.3 Entwurf: GMS 1081, Schwarze Tusche, 10,9 x 14,8 cm

85.4 Entwurf: Kon. 30/143, Dunkelblaue Tusche, 11 x 12,6 cm

85.5 *a–c* Entwürfe: Kon. 40/136 a–c
a) Tusche und Deckweiß, 8,1 x 10,2 cm
b) Tusche und Bleistift, 10,4 x 16,4 cm
c) Deckweiß auf schwarzem Papier, 12,5 x 16,4 cm

85.6 Skizzenbuch Kon. 37/18, loses Blatt

85.3

85.4

85.1

85.2

86 Schlaf *um 1934*

Holzschnitt 11,4 x 13,9 cm
U.r. im Stock monogrammiert
Helms Nr. 86

Zu dem Motiv *Schlaf* gibt es außer den
unmittelbar dem Holzschnitt vorausgehenden Bleistiftentwürfen auch einige Skizzenbuchzeichnungen, die offenbar auf einen
Bildeindruck in Südfrankreich 1930 zurückgehen. 1934 schuf Münter von dem expressiv
aufgefaßten Bild der Schläferin auch ein
Ölgemälde, das dem Holzschnitt sehr nahe
steht. Erneut arbeitet Münter im Druck mit
Weißaussparung auf schwarzem Grund, was
die Kompaktheit und den herben Eindruck
der Figur unterstreicht.

86.1 GMS 963
Holzschnitt auf Maschinenpapier,
Blattgröße: 21,2 x 20,2 cm
Nicht monogrammiert
Probedruck: schwarz

86.2 GMS 964
Holzschnitt auf Maschinenpapier,
Blattgröße: 13,2 x 19,5 cm
Druck: schwarz

Außer den zwei im Lenbachhaus vorhandenen Exemplaren sind zehn weitere Exemplare bekannt.
Fünf Entwürfe, mehrere Skizzenbuchzeichnungen, sowie der Holzstock vorhanden.

86.3 Entwürfe: Kon. 40/139, Fünf Entwürfe
auf einem Blatt, Bleistift, 16,5 x 21,1 cm
86.4 Skizzenbuch: Kon. 37/17, S. 25–27

86.1

86.2

87 Neujahrswunsch 1934

Linolschnitt 10,3 x 7,5 cm
U.l. im Stock monogrammiert und datiert
Helms Nr. 87

Mit diesem *Neujahrwunsch 1934* greift Münter den Brauch ihrer Neujahrs-Graphik der
Vorkriegszeit auf (s. Kat. 37, 38, 40, 45).
Doch diesmal schuf sie die Glückwunsch-
karte offenbar nur in geringer Auflage und
im Handdruck-Verfahren. Das Thema der
arbeitenden Frau am Tisch, entweder mit
Stift oder Schere in der Hand, gestaltete sie
um diese Zeit auch in mehreren Ölbildern.

87.1 GMS 965
      Linolschnitt auf Maschinenpapier,
      Blattgröße: ca. 13,4 x 8,2 cm
      Probedruck in braun
87.2 GMS 966
      Linolschnitt auf Bütten,
      Blattgröße: 14,5 x 9,5 cm
      Bez. u.l. eigenhändig in Blei: »Herzliche
      Glückwünsche!«, u.r.: »G. Münter.«
      Nicht monogrammiert
      Druck: schwarz

Außer den zwei im Lenbachhaus vorhandenen Exemplaren sind acht weitere Exemplare
bekannt.
Linolstock vorhanden.

Ausstellungen
München 1962, Städtische Galerie, Nr. 150

87.1

87.2

herzliche Glückwünsche! g. Münter.

88 Neujahrswunsch 1935

Linolschnitt 9,1 x 12,5 cm
Helms Nr. 88

Die letzte Druckgraphik Gabriele Münters,
der kleine Linolschnitt *Neujahrswunsch 1935,*
zeigt mit den Heuhocken im Murnauer
Moos ein häufig gestaltetes und geliebtes
Thema ihres Schaffens (s. auch Kat. 39).
Den Eindruck der tiefverschneiten Hocken,
den Münter durch den kräftigen Schwarz-
Weiß-Kontrast und die gerundeten Formen
des Drucks erzielt, erhöht sie zum Teil durch
die Überarbeitung der Konturen mit zart-
blauen Wasserfarben. Bis Mitte der vierziger
Jahre gestaltete sie das Motiv der verschneiten Heuhocken auch in intensiv weiß-blauen
Gemälden und Aquarellen, etwa in einem
Bild von 1943, auf dem die kleine Figur ihres
Gefährten Johannes Eichner durch die
Schneelandschaft wandert. Die leichte Gelb-
färbung der Neujahrs-Ducke ist auf den
hohen Leinölgehalt in der Druckfarbe
zurückzuführen.

88.1 GMS 967
Linolschnitt auf Bütten,
Blattgröße: 10,8 x 13,4 cm
Bez. u. l. eigenhändig in Blei:
Handdruck., u. r.: »G. Münter.«
Druck: schwarz und zartgelb
88.2 GMS 968
Linolschnitt auf Bütten,
Blattgröße: 10,5 x 13,4 cm
Bez. u. l. eigenhändig in Blei: »Neujahrs-
gruß 1935.«, u. r.: »G. Münter.«
Druck: schwarz, blau, zartgelb

Außer den zwei im Lenbachhaus vorhandenen Exemplaren sind drei weitere bekannt
(z. T. mit Wasserfarben übergangen).
Ein Entwurf vorhanden.

88.3 Entwurf: Kon. 40/140, Tusche und
Deckweiß, 8,5 x 11,6 cm

Ausstellungen
München 1962, Städtische Galerie, Nr. 151

88.1

88.2

Zum Werkverzeichnis

Unser Werkkatalog konnte sich auf die hervorragende Vorarbeit stützen, die Sabine Helms 1967 für den Sammlungskatalog der Druckgraphik Gabriele Münters der Städtischen Galerie im Lenbachhaus vorgelegt hat.[1] Dabei handelt es sich um ein schmales, lediglich 27 Seiten umfassendes Arbeitsheft, in dem alle wesentlichen Daten zu Münters in chronologischer Ordnung aufgeführten Druckgraphiken präzise erfaßt sind (Abb. 1). Wir haben es uns für unseren Katalog, über Helms hinaus, zur Aufgabe gemacht, jedes einzelne Exemplar der Druckgraphiken in unserer Sammlung einzeln zu erfassen, in seinem Farbzustand zu beschreiben, auf Papiersorten und Beschriftungen zu überprüfen und alle Graphiken farbgetreu abzubilden, wobei sich dem Betrachter ein Bild überraschender Vielfalt und Zugänglichkeit bietet.

Für die Abfolge der bis 1911 geschaffenen Graphiken konnte sich Helms auch auf Münters eigenen, sogenannten »Hauskatalog« beziehen, ein im Nachlaß befindliches schwarzes Wachsheft, in das frühe Werklisten nach dem Vorbild von Kandinskys »Hauskatalogen« von der Künstlerin selbst eingetragen wurden. Am Ende dieses Heftes mit eigenhändigen Eintragungen Münters, die leider meist bald nach Beginn wieder abbrechen und nicht immer systematisch geführt sind, stehen vier Doppelseiten mit einer Auflistung ihrer Druckgraphiken von 1906/07 bis 1911, zum Teil mit ausführlichen Farbangaben oder Notizen zu Ausstellungen und Preisen.[2] Auch unsere *Datierung* folgt im wesentlichen den Angaben bei Helms; in wenigen Fällen haben wir durch neue Erkenntnisse Umdatierungen vorgenommen, so für zusammengehörige Gruppen im

1 Doppelseite aus dem Werkkatalog von Sabine Helms: Gabriele Münter, Das druckgraphische Werk, München 1967

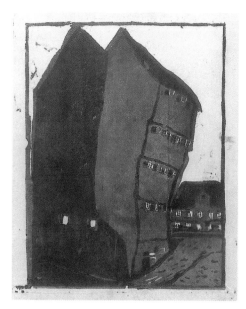

»Pariser« Werk oder für die Katalognummern *Weiblicher Kopf, Heustadel* und *Heuhaufen* (Kat.1, 27, 39). Eine Besonderheit im druckgraphischen Werk Münters, in erster Linie im Falle der relativ zahlreichen und bedeutenden frühen Graphiken bis 1908, ist ihre eigene Deklarierung dieser Drucke als »Holzschnitte«, auch wenn es sich aufgrund der vorhandenen Stöcke eindeutig um Linolschnitte handelt.[3] Dieses Verfahren einer »Aufwertung« ihrer aus dem leichter zu bearbeitenden, künstlerisch jedoch als minderwertiger eingestuften Linoleum geschnittenen Drucke als »Holzschnitte« wird in den Beiträgen dieses Kataloges ausführlicher erörtert.[4] In Fällen, in denen sich die Stöcke nicht erhalten haben – dies gilt ebenso für die Holz- oder Linolschnitte der dreißiger Jahre –, finden sich deshalb auch in unserem Werkkatalog die Angaben »vermutlich Holzschnitt« oder »vermutlich Linolschnitt«.

Die von Helms zu den einzelnen Werknummern genannte Anzahl der »weiteren (in verschiedenen Farbstellungen) bekannten Exemplare« wird in unserem Werkkatalog ebenfalls aufgeführt: Diese Anzahl bezeichnet, mit geringen Abweichungen, im wesentlichen auch *die Auflagenhöhe* der Graphiken Münters.[5] Seinerzeit konnte Sabine Helms unter der Leitung des damaligen Galeriedirektors Hans Konrad Roethel den gesamten Bestand an Druckgraphiken sowohl des Lenbachhauses als auch der noch im Besitz der Gabriele Münter- und Johannes Eichner-Stiftung verbliebenen Exemplare sichten. Da Gabriele Münter zu ihren Lebzeiten nur wenige Drucke verkauft oder verschenkt hat, gelangte ihr druckgraphisches Werk in weitgehend vollständigen Konvoluten mit der Münter-Stiftung 1957 an das Lenbachhaus und nach ihrem Tod 1962 mit testamentarischer Bestimmung an die Gabriele Münter- und Johannes Eichner-Stiftung.[6] Der Sammlungskatalog von 1967 beruht auf einer Kenntnis dieses gesamten Materials der verschiedenen Exemplare einschließlich aller unterschiedlichen Farbzustände.

Bei jeder einzelnen Werknummer nannte Helms schließlich die Anzahl der vorhandenen *Entwürfe* und *Skizzenbuchzeichnungen*. Für diesen Katalog haben wir noch einmal alle vorhandenen Entwürfe aufgespürt, auch die technischen Angaben dieser Blätter einzeln benannt und ausgewählte Beispiele dieser Originalgraphiken zu den einzelnen Werknummern abgebildet.[7] Historische Photographien Gabriele Münters oder auch eigene Gemälde runden das Bild dieser komplexen Werkzusammenhänge ab. Bei den, im Falle von Druckgraphiken gemeinhin nicht üblichen Angaben zu Ausstellungen und

Literatur haben wir uns entschlossen, nur die Ausstellungen zu Münters Lebzeiten bis 1962 aufzunehmen, wobei gerade die frühen Ausstellungen von 1907 bis 1926 von besonderem Interesse auch für die Datierung der einzelnen Blätter sind.[8]

Im Anhang des Werkkatalogs von 1967 sind drei Farbdrucke aufgeführt, die sich dem Werk Münters nicht zuordnen lassen. Dabei handelt es sich um zwei Blätter, die sich in einem Konvolut mit Münter'scher Druckgraphik in jeweils zwei Exemplaren befanden (Abb. 2, 3). Diese, *Kleinstadt* und *Graue Häuser* genannten, bei Helms »um 1902« datierten Graphiken können bis heute nicht eindeutig zugeordnet werden. Während die Autorschaft Münters auszuschließen ist, soll hier mit aller Vorsicht die Vermutung geäußert werden, daß es sich um Drucke aus dem Umkreis der ehemaligen Phalanx-Schüler handeln könnte, die bis zum Lebensende in Münters Besitz geblieben sind. Der dritte Farbdruck, *Bergkirche*, befand sich in einem Konvolut von Graphiken Kandinskys und wurde einst auch als Werk seiner Hand publiziert.[9] (Abb. 4) Doch dieses Blatt wurde zu Recht von Hans Konrad Roethel in seinem Werkverzeichnis der Druckgraphiken Kandinskys wieder abgeschrieben.[10] Eventuell könnte dieses, von Roethel auf »um 1907« datierte Blatt – auch dies soll hier mit Vorbehalt zur Diskussion gestellt werden – von der Hand eines Künstlerkollegen aus dem Kreis von *Les Tendances Nouvelles*, stammen, etwa von Edmond Bille. Während diese Fragen in unserem Zusammenhang Marginalien bleiben, sind wir zuversichtlich, mit diesem Katalog die Beschäftigung mit der Druckgraphik Münters auf eine neue Grundlage gestellt zu haben.

4 *Bergkirche*, um 1902/07. Vermutlich Farbholzschnitt, Künstler unbekannt, Städtische Galerie im Lenbachhaus, München

1 Helms 1967 (= Gabriele Münter. Das druckgraphische Werk. Städtische Galerie im Lenbachhaus München, Sammlungskatalog 2, bearb. von Sabine Helms, München 1967).

2 Münters »Hauskatalog« nennt als Nr. 1 *Portrait Aurelie*, als letzte Nr. 28 *Neujahrsholzschnitt 1911*. Ebenso wie bei Helms sind auch in unserem Werkkatalog diese »Hauskatalog«-Nummern unter den einzelnen Druckgraphiken aufgeführt.

3 Auch bei den frühen Drucken Kandinskys, besonders den Farblinolschnitten um 1907, findet sich diese Vorgehensweise, s. Roethel 1970, S. X

4 S. auch die Beiträge von Christina Schüler und Isabelle Jansen in diesem Katalog.

5 Als gesicherte Angabe ist die Auflagenhöhe von Münters Druckgraphiken lediglich für die Folge der schwedischen Radierungen bekannt, die in einer Auflage von bis zu 10 Exemplaren gedruckt wurden. Abweichungen in der durch die »bekannten« Exemplare gesicherten Anzahl der Drucke bei den einzelnen Werknummern gibt es naturgemäß bei den in größerer Menge verschickten *Neujahrsholzschnitten* Münters sowie den Plakaten und Broschüren.

6 Aus Münters verstreuten Aufzeichnungen geht hervor, daß sie vor dem Ersten Weltkrieg nur einige wenige Grahiken verkaufen konnte, so z.B. *Parc Saint-Cloud* auf dem ›Salon d'Automne‹ 1908, *Kandinsky* und *Schlafendes Kind* 1912 an Bernhard Koehler, *Schlafendes Kind* ist 1909/10 ebenso wie *Neujahrsgruß* bereits im Besitz des russischen Galeristen Wladimir Isdebsky nachgewiesen. Von den schwedischen Radierungen verschenkte Münter einige Exemplare an ihre Künst-

lerfreunde Liliy Rydström-Wickelberg und Jon And, sowie an ihre Schwester Emmy. Auch an ihren Bruder Carl in Bonn gingen einige Druckgraphiken. 1915 verkaufte sie sechs Holzschnitte an Herwarth Walden. – Nach Etablierung der Gabriele Münter- und Johannes Eichner-Stiftung wurden um 1969/70 aus dem Nachlaß etliche fast vollständige Sätze der Druckgrahik Münters durch einige wenige namhafte Galeristen in Deutschland und Amerika verkauft. Diese Exemplare befinden sich heute fast ausschließlich in Privatbesitz.

7 In einigen wenigen Fällen konnte die von Helms genannte Anzahl der Entwürfe nicht vollständig verifiziert werden, ebenso konnten in wenigen Fällen zusätzliche Entwürfe entdeckt und ergänzt werden.

8 1966 zeigte die Galerie Leonard Hutton, New York, eine Ausstellung mit Hinterglasbildern und Druckgraphiken, einschließlich Katalog; 1977 zeigte das Pöppelmann-Haus, Herford, eine Ausstellung der Druckgraphiken mit Leihgaben aus dem Lenbachhaus, mit einer kleinen Katalogbroschüre. Literatur-Angaben wurden, ebenfalls im Sinne einer historischen Dokumentation, nur bis 1913 aufgenommen.

9 Kenneth Lindsay, in: Prints, 1962, S. 241, Abb. 6, als »Kandinsky, *Old Church*, ca. 1904«.

10 Roethel 1970, Anhang II, 1: »Dieser Druck befand sich bei der Übernahme der Gabriele Münter Stiftung im Jahre 1957 in einem Konvolut, das sonst nur Holzschnitte Kandinskys enthielt«, dessen Autorschaft jedoch auszuschließen sei. »Trotz einer gewissen Verwandtschaft mit ihren farbigen Holzschnitten kommt auch Gabriele Münter als Urheberin wohl nicht in Betracht.«

Literatur

Ausstellungen

Baden-Baden 1960
  Ausst.Kat. Alfred Lörcher, Gabriele Münter,
  Emy Roeder. Staatliche Kunsthalle Baden-Baden,
  4.–31. Dezember 1960
Berlin 1957, Haus am Lützowplatz
  Ausst.Kat. Gabriele Münter. Gemälde, Graphik.
  Berlin, Haus am Lützowplatz, 1.–21. Dezember
  1957
Braunschweig 1926, Gesellschaft der Freunde
  junger Kunst
  Gabriele Münter. Gesellschaft der Freunde
  junger Kunst, Juni 1926
Hannover 1951, Kestner Gesellschaft
  Ausst.Kat. Paula Modersohn-Becker, Gabriele
  Münter. Hannover, Kestner-Gesellschaft,
  13. Okt.–18. Nov. 1951
Kopenhagen 1918, Den Frie Kunstudstilling
  Ausst.Kat. Gabriele Münter, Oljemalninger,
  Glastavler, Grafik. Kopenhagen, Den Frie
  Udstilling, März 1918 (Faltblatt)
München 1920, Galerie Thannhauser
  Gabriele Münter, Gemälde und Zeichnungen,
  Moderne Galerie Heinrich Thannhauser,
  Dezember 1920 (Faltblatt)
München 1962, Städtische Galerie
  Ausst.Kat. Gabriele Münter 1877–1962.
  München, Städtische Galerie im Lenbachhaus,
  13. Okt.–2. Dez. 1962
München 1992/93
  Ausst.Kat. Gabriele Münter 1877–1962. Retro-
  spektive, hrsg. von Annegret Hoberg, Städtische
  Galerie im Lenbachhaus München/Schirn Kunst-
  halle Frankfurt/ Liljevalchs Konsthall Stockholm,
  1992/93
New York 1961, Leonard Hutton Galleries
  Ausst.Kat. Gabriele Münter, Murnau to Stockholm
  (1908–1917). New York, Leonard Hutton Galle-
  ries, 22. Nov.–Dez. 1961
Wanderausstellung in Deutschland 1949–1953
  Ausst.Kat. Gabriele Münter. Werke aus fünf Jahr-
  zehnten. Braunschweig, Bremen, Düsseldorf u.a.,
  München 1952, Giesen, Bielefeld u.a.

Literatur

Eichner 1957
  Johannes Eichner, Kandinsky und Gabriele
  Münter. Von Ursprüngen moderner Kunst,
  München 1957
Fineberg 1984
  Jonathan David Fineberg, Kandinsky in Paris
  1906–1907. UMI Research Press, Ann Arbor,
  Michigan (= Studies in the Fine Arts:
  The Avant-Garde, No. 44)
Helms 1967
  Gabriele Münter. Das druckgraphische Werk.
  Städtische Galerie im Lenbachhaus München,
  Sammlungskatalog 2, bearb. von Sabine Helms,
  München 1967
Hoffmann 1998
  Meike Hoffmann, Druckgraphik des Blauen
  Reiters, in: Ausst.Kat. Der Blaue Reiter und
  seine Künstler, hrsg. von Magdalena M. Moeller,
  Brücke-Museum Berlin, Kunsthalle Tübingen,
  1989/99, S. 127–146
Kleine 1990
  Gisela Kleine, Gabriele Münter und Wassily
  Kandinsky. Biographie eines Paars, Frankfurt 1990
Roethel 1970
  Hans Konrad Roethel. Das graphische Werk,
  Köln 1970

Photonachweis

Alle Photovorlagen stammen aus dem Besitz der Städtischen Galerie im Lenbachhaus und der Gabriele Münter- und Johannes Eichner-Stiftung, München. Wir danken den Photographen Marianne Franke und Ernst Jank für zahlreiche Aufnahmen und Abzüge historischer Photos sowie der Firma phg in Martinsried für die Digitalaufnahmen des Werkverzeichnisses.